Como Apreciar um Ariano

Mary English

Como Apreciar um Ariano

Orientações da Vida Real para Relacionar-se Bem e Ser Amigo do Primeiro Signo do Zodíaco

Tradução:

MARCELLO BORGES

Editora Pensamento
SÃO PAULO

Título original: *How to Appreciate an Aries.*

Publicado originalmente no RU por O-Books, uma divisão da John Hunt Publishing Ltd., The Bothy, Deershot Lodge, Park Lane, Ropley, Hants, SO24 0BE, UK.

Publicado mediante acordo com O-Books.

Texto de acordo com as novas regras ortográficas da língua portuguesa.

1ª edição 2014.

Editor: Adilson Silva Ramachandra
Editora de texto: Denise de C. Rocha Delela
Coordenação editorial: Roseli de S. Ferraz
Preparação de originais: Marta Almeida de Sá
Produção editorial: Indiara Faria Kayo
Editoração eletrônica: Join Bureau
Revisão: Vivian Miwa Matsushita

CIP-Brasil Catalogação na Publicação
Sindicato Nacional dos Editores de Livros, RJ

E48c
English, Mary
Como apreciar um ariano: orientações da vida real para relacionar-se bem e ser amigo do primeiro signo do zodíaco / Mary English; tradução Marcello Borges. – 1. ed. – São Paulo: Pensamento, 2014.
128 p.: il.; 20 cm.

Tradução de: How to appreciate an aries.
ISBN 978-85-315-1872-0

1. Astrologia. 2. Signo. I. Título.

14-12663

CDD: 133.5
CDU: 133.5

Direitos de tradução para a língua portuguesa adquiridos com exclusividade pela
EDITORA PENSAMENTO-CULTRIX LTDA., que se reserva a
propriedade literária desta tradução.
Rua Dr. Mário Vicente, 368 – 04270-000 – São Paulo – SP
Fone: (11) 2066-9000 – Fax: (11) 2066-9008
http://www.editorapensamento.com.br
E-mail: atendimento@editorapensamento.com.br
Foi feito o depósito legal.

Este livro é dedicado, com apreço,
às seguintes mulheres de Áries:

Minha amiga Mandy: você sempre foi um porto seguro
Mary: seu *feedback*, incentivo e apoio
ajudaram-me a escrever
Miriam: que você seja abençoada por ser a mãe de
meu maravilhoso marido
e
Linda Goodman, por ser a autora de
Linda Goodman's Sun Signs

♈ Sumário ♈

♈ Agradecimentos ♈

Gostaria de agradecer às seguintes pessoas:
Meu filho, por ser o libriano que sempre me faz enxergar o outro lado. Meu marido Jonathan, por ser o taurino mais maravilhoso do meu mundo. Mabel, Jessica e Usha, por sua ajuda homeopática e sua compreensão. Laura, por sua amizade. Donna Cunningham, por sua ajuda e seus conselhos. Judy Hall, por sua inspiração. Alois Treindl, por ser o pisciano que fundou o maravilhoso site Astro.com. Judy Ramsell Howard, do Bach Centre, por seu estímulo. John, meu editor, por ser a pessoa que lutou com unhas e dentes para que este livro fosse publicado, e toda a equipe da O-Books, inclusive Stuart, Lee, Nick, Trevor, Kate, Catherine, Mollie, as duas Marias e Mary. Oksana, Mary e Alum, por seus sempre bem-vindos olhares editoriais e acréscimos ao texto.
E finalmente, mas não menos importantes, meus adoráveis clientes, por suas valiosas contribuições.

♈ Introdução ♈

Sou astróloga e trabalho com o atendimento particular a pessoas diversas com todos os tipos de problemas.

Tornei-me astróloga por mero acaso. Já era formada em homeopatia e, certo dia, minha homeopata mencionou que uma coisa que eu tinha dito devia ter ocorrido durante o meu "Retorno de Saturno", e eu pensei: "Que diabos será um Retorno de Saturno?"... e saí. Ela conhecia alguma coisa que eu não conhecia, e isso representava certo desafio.

Já atendia clientes como homeopata e leitora psíquica, e por isso não foi lá muito diferente estudar Astrologia. Foi terrivelmente fácil. Li vários livros, e um dos primeiros foi *Linda Goodman's Sun Signs*, mas ele não fez muito sentido para mim porque eu não me identifiquei com sua descrição branda de Peixes... porém quando descobri, após novas investigações, que eu tinha algo chamado Ascendente em Leão e Lua em Gêmeos, as coisas começaram a fazer sentido. Eu não era "só" de Peixes. Eu tinha outras "partes" que me tornavam a pessoa que sou.

Foi muito empolgante.

Depois, descobri detalhes dos mapas de amigos e de familiares e comprei um programa barato de computador (que ainda uso), bem apresentado, claro e fácil de compreender. Gosto de coisas que são fáceis de aprender. Detesto ler livros escritos para pessoas com cérebro do tamanho do Universo. Fazem com que eu perca a vontade de continuar a ler. Prefiro ler livros infantis até compreender um assunto ou então livros escritos para principiantes.

Li tantos livros e montei tantos mapas que comecei a enxergar soluções para meus clientes. Eu "via" ou compreendia por que alguém estaria com dificuldades para melhorar de uma doença – a pessoa tinha sofrido um choque terrível na juventude ou estava passando pela influência de algum acontecimento planetário mais difícil.

Isso fez com que o atendimento a meus clientes se tornasse uma experiência mais agradável. Não há nada pior do que tratar alguém e não saber quando a pessoa vai se recuperar, se é que isso vai acontecer. Ou ajudar uma cliente que está num relacionamento difícil e perguntar-se se ela deve ficar com o Senhor Não Muito Certo ou passar para o Senhor Totalmente Certo.

Quando montei o mapa do meu ex-marido, percebi o que tinha nos aproximado e o que havia nos afastado. Foi revelador!

Com o tempo, a gerente de uma loja de artigos místicos perguntou-me se eu poderia fazer leitura de mãos no local; assim, adotei uma postura do tipo *pague duas e leve a terceira de graça*, envolvendo leitura de cartas, Quiromancia e Astrologia na mesma sessão.

No começo, mantive em separado os clientes de Astrologia dos clientes de Homeopatia. Hoje, uso as duas técnicas em minha prática e obtenho bons resultados.

Depois de algum tempo, comecei a atender muitos piscianos, e, como sou pisciana (reformada), achei que seria interessante escrever um manual chamado *Como Sobreviver a um Pisciano* para ajudar meus clientes a compreenderem melhor nosso signo. Mas meu editor, que – espantosamente – é pisciano, disse-me que não aceitaria apenas um livro, e achei que deveria escrever um para cada signo... e foi então que percebi que teria um projeto um tanto grande nas mãos: doze livros!

Precisei de dois anos para escrever o primeiro deles e encontrar uma editora; agora, eu teria de escrever mais onze livros. Argh! E foi então que minha editora vendeu os direitos de publicação no exterior para uma editora brasileira, que queria os doze livros dentro de determinado prazo. Argh, de novo!

Como tinha começado pelo final do Zodíaco, achei que deveria ir de trás para a frente (por que não?), e aqui estamos no primeiro signo do Zodíaco – Áries – e no último livro da série.

Então, tirei uma semana de férias e fiz uma reserva num retiro em Radstock, Somerset, para completar a série a tempo de entregar este livro na primavera de 2013. Espero ter conseguido!

E isso tem um pouco a ver com a energia de Áries. Ele nunca diz "Não". Esta palavra não faz parte do seu vocabulário. Ele enfrenta com disposição diversas tarefas aparentemente difíceis. Com certeza, gosta de um desafio, e escrever 22 mil palavras (tenho de concluir outros três livros nesta semana) em cinco dias é um desafio e tanto!

Portanto espero que você goste de ler sobre Áries, o primeiro signo do Zodíaco, para conhecê-lo melhor.

– Mary English
Bath, 2013

Capítulo 1

♈ O signo ♈

Quando menino, era obcecado por Houdini.
– David Blaine
(tanto Houdini como David Blaine são do signo de Áries)

Assertivo, honesto, impaciente. Essas três qualidades são atribuídas a Áries, o Carneiro, o primeiro signo do Zodíaco na Astrologia.

E o que é um signo do Zodíaco?

O que é Astrologia?

Onde e por que Áries recebeu esse nome, e o que as pessoas pensam sobre Áries hoje em dia?

Todas essas perguntas, e muitas outras, serão respondidas neste livro.

Aprendi um pouco sobre Áries ao pesquisar para escrever este livro. No começo, pensei em chamá-lo de *Como Enfrentar um Ariano*, mas uma das assinantes de meu boletim (muito interessante) reclamou (com razão) de que isso retratava seu signo de forma ultrapassada e injusta. Enfrentar arianos sugere que são pessoas que estão sempre procurando briga. É uma expressão do boxe. Também é uma expressão da pesca, pois *tackle* é aquilo que você leva para pegar peixes.*

Assim, Mary (que também é o nome dessa senhora) e eu tivemos uma conversa via e-mails:

> ***Como Enfrentar um Ariano!!! Mary, por favor, isso não!*** *Tem a conotação de pôr-nos de joelhos! De sermos dominados... O que, evidentemente, é o passatempo predileto de muitas pessoas.*
>
> *Agora estou me sentindo nocauteada; por isso, esse título é a última coisa que eu quero ver! Quem não é de Áries pode gostar do título, mas não consigo imaginar nenhum ariano satisfeito com ele. Sei que a palavra "enfrentar" tem outras conotações; mas sei também que não gostei nem um pouco dela!*
>
> *Não dá para usar "Admirar um ariano"? Aceitar um ariano? Viver de acordo com um ariano? Adaptar-se a um ariano? Analisar um ariano? Ancorar um ariano? Coexistir com um ariano? Atrair um ariano? Avaliar um ariano?*
>
> ***Como Apreciar um Ariano*** *seria bom. Esse nome abre espaço suficiente para relacionar todos os nossos aspectos negativos e também para mostrar como lidar com eles.*
>
> *Mary*

Eu:

> Olá, Mary!
>
> Fico feliz por ter respondido.
>
> Estava preocupada com o título, motivo pelo qual mandei as outras opções no e-mail... Vou desenvolver outro e depois respondo :)
>
> Mary xx

---

* A autora faz um jogo de palavras entre duas acepções de *tackle*, "enfrentar", e "equipamento de pesca". (N. do T.)

Mary:

Obrigada! Tenho certeza de que você encontrará um nome interessante.

M

Eu:

Como ancorar um ariano?

Mary xx

Mary:

Não é tão ruim; mas você quer mesmo nos amarrar??? No começo, pareceu OK, mas somos bastante independentes.

Novamente, estamos diante de uma palavra que pode ser interpretada de duas maneiras – precisamos mesmo de bases/ancoramento (eu, pelo menos, preciso, pois sou principalmente de Fogo e Ar); mas ***amarrar-nos*** *– ancorar-nos a um cais/poste ou no meio do oceano – seria uma execração! Você quer que estejamos por aí, explorando, sendo pioneiros e abrindo caminhos, não quer? ;-)*

Por que você não gosta de "Apreciar"?

Mary

Eu:

Puxa, não pensei no termo "Apreciar"... vou pensar um pouco nisso; boa ideia! Vou trabalhar nele hoje!

Vamos nos falando...

Mary xxx

Eu:

O que você gostaria que as pessoas mais soubessem com relação a Áries?... De que maneira a incompreensão do signo a afeta mais?

Mary:

Podemos ser obtusos, mas não queremos mal a ninguém.

Eu:

"Apreciar" é bom, mas parece uma coisa meio leonina... como se o ariano precisasse apenas de elogios.

Que tal "Aceitar"?

Você já sugeriu isso e estou começando a gostar da ideia... se mais pessoas aceitassem o jeito de ser de Áries, explorador, pioneiro, desbravador... isso não faria com que o ariano ficasse feliz?

Hummm... "Aceitar" está começando a parecer bom... o que você acha?

Mary xx

Mary:

"Aceitar" parece bom, mas não é lá muito atraente. Sabe Deus, a aceitação seria uma bênção!

Creio que ainda prefiro "Apreciar", que é bem diferente de "Admirar", que é mais leonino. Com certeza, não estamos procurando elogios, mas creio que gostaríamos que nossos talentos e nossas habilidades singulares fossem apreciados (reconhecidos) apesar de nossos evidentes defeitos.

E que tal "Compreender"? Como compreender um ariano.

Mary

Eu:

"Apreciar"... meu marido e eu rimos – minha sogra era de Áries.

Então, será "apreciar"!

Obrigada, Mary xxx, muito útil xxx

Essa troca de e-mails, apresso-me a acrescentar, não se deu quando comecei a escrever o livro, mas alguns dias antes de terminá-lo, e fui a um retiro para concluir o texto. É nisto que está a força de Áries. Eles não desperdiçam energia com coisas que não são necessárias AGORA, neste momento do tempo...

Como dá para perceber na correspondência acima, Mary não abriu mão de sua ideia enquanto não teve certeza de que eu tinha compreendido o que ela queria que eu soubesse. Como a correspondência prosseguiu, ela parou de assinar o nome e não começou seu e-mail com o meu... ela simplesmente FOI DIRETO AO PONTO... e é isso que pode espantar outros signos do Zodíaco: a capacidade dos arianos de serem bruscos! Porém Mary teve *motivos* para ser brusca. Ela estava falando de seu signo. De seu apelido. Sua carne e seu sangue.

As pessoas costumam proteger muito seu signo zodiacal, até aquelas que não acompanham muito a Astrologia.

Pronto, está aí. *Como Apreciar um Ariano.*

Nem preciso escrever o livro agora, preciso? Você já entendeu plenamente o que significa o "apreciar".

Não?

Vamos estudar um pouco a própria Astrologia antes de avançarmos na compreensão deste signo.

Então, o que é a Astrologia? Como diz Nicholas Campion, "As descrições de caráter da Astrologia constituem o mais antigo modelo psicológico do mundo... que ainda é a forma mais conhecida de análise da personalidade".

É bem isso mesmo. Usamos a Astrologia para descrever a personalidade das pessoas, não apenas para fazer previsões. Na verdade, não faço muitas previsões na minha prática profissional; o que mais faço é PSE: Primeiros Socorros Emocionais.

A Astrologia começou há muito, muito tempo, mais de 2 mil anos. Ela é mencionada até na Bíblia: lembra-se dos Três Reis Magos? Eles estavam seguindo uma estrela...

Uma História muito Breve da Astrologia

O historiador Christopher McIntosh diz, em seu livro *Man, Myth and Magic: Astrology*:

> Na Babilônia, onde a Astrologia teve início, o conhecimento astrológico era considerado uma parte importante da educação do homem. Dizia-se, por exemplo, como prova da indolência do rei Ninus, que "ele não via estrelas, e, ao vê-las, nada anotava".
>
> As classes menos instruídas veneravam as estrelas de forma mais básica, vendo-as como divindades, mas todos estavam familiarizados com as figuras planetárias e as constelações...
>
> Na Babilônia, a astrologia foi usada inicialmente apenas para prever eventos gerais, como desastres naturais, guerras, rebeliões e coisas do gênero. Porém na época em que Alexandre conquistou essa região (século IV a.C.), começaram a ser feitos horóscopos individuais.[1]

Com o tempo, graças à tradição oral, a Astrologia atravessou os oceanos e chegou à Grécia, ao Egito e a Roma, e depois ao resto da Europa, mudando pouco em seu significado e conteúdo. Os símbolos que usamos hoje ainda são os mesmos símbolos universais, para que povos de todas as camadas sociais possam entendê-los – e você também.

Os primeiros astrólogos tinham de saber ler e escrever, além de fazer cálculos matemáticos complexos para determinar a localização dos planetas, algo que hoje os computadores fazem com facilidade. Você não terá de fazer nada difícil para montar os mapas astrológicos de que vamos falar neste livro.

Gostaria de fazer algumas distinções entre o que é e o que não é Astrologia. Muitos parecem pensar que a Astrologia trata apenas de previsões. Como se tudo que os astrólogos fizessem o dia todo fosse "olhar o futuro". Isso não é inteiramente correto. Há astrólogos de todos os tipos, assim como há pessoas de todos os tipos.

Alguns astrólogos se interessam pela história da Astrologia; alguns se envolvem com aconselhamento ou consultoria empresarial; outros, com colunas de signos solares na mídia, ou com análise da personalidade. Alguns se interessam por psicologia, saúde, relacionamentos ou política, mas todos, quase sempre, se interessam pelos "porquês" da vida e por suas razões. Interessam-se pelo *sentido* da vida.

Princípios Básicos

Quando falamos em signos solares, estamos falando do signo em que o Sol (aquela grande bola de fogo) estava no dia em que a pessoa nasceu. E quando dizemos "signo", estamos nos referindo à porção do céu que denotamos como "sendo" esse signo do Zodíaco. Assim como moro no condado de Bath, no nordeste de Somerset, e você pode morar em Nova York, NY. Os signos do Zodíaco são apenas divisões do céu acima de nós. Nada mais, nada menos.

E a Astrologia não trata apenas do Sol. Junto à Lua e ao Sol, há pelo menos outros nove corpos celestes que observamos e cujas órbitas acompanhamos em sua trajetória em torno do

Sol: Mercúrio, Vênus, Marte, Júpiter, Saturno e os três planetas descobertos mais recentemente, Urano, Netuno e Plutão, dos quais falei nos meus livros *Como se Relacionar com um Aquariano*, *Como Sobreviver a um Pisciano* e *Como Conquistar a Confiança de um Escorpiano*, respectivamente.

Astrologia e Astronomia já foram a mesma ciência, mas com o tempo se afastaram. Ainda usamos dados astronômicos para calcular um mapa natal, mas a diferença entre os astrônomos e nós é o *significado* por trás dessas colocações planetárias.

O Estudo dos Planetas, Não das Estrelas

A Astrologia é o estudo dos planetas. Não das estrelas. As estrelas estão penduradas no céu, a milhões de quilômetros de nós. Elas não orbitam nosso Sol e podem ser vistas da Terra o ano inteiro. Mas não ficam nos mesmos lugares, porque – não se esqueça – a Terra gira ao redor de seu eixo; assim, em momentos diferentes do ano, partes diferentes da Terra estão voltadas para partes diversas do espaço.

Os planetas estão na nossa vizinhança e giram em torno do Sol, assim como nós. Se fizéssemos um pequeno mapa desses planetas no dia em que você nasceu, ele seria o que chamamos de "horóscopo", ou "mapa astral", ou, como o chamam nos Estados Unidos, um "mapa natal".

Aqui estamos nós, orbitando ao redor do Sol. O dia todo, todos os dias.

E todos esses planetas de nosso sistema solar estão fazendo a mesma coisa. Não ao mesmo tempo, nem na mesma distância, nem sequer na mesma velocidade, mas, nos últimos zilhões de anos e por mais alguns zilhões de anos, estaremos em órbita ao redor do Sol.

No entanto os primeiros astrólogos não sabiam que orbitávamos o Sol. O que sabiam era aquilo que viam, ou seja, o Sol percorrendo algo que chamamos de "caminho da eclíptica" todos os dias, e, à medida que o situavam no espaço, percebiam que, em determinadas épocas do ano, ele ocupava lugares diferentes. Imaginaram, compreensivelmente, que o Sol girava em torno da Terra, pois à noite ele não fica visível... Onde teria ido? Eles não eram bobos. Sabiam que o Sol e os outros planetas tornariam a aparecer... mas quando?

Foi então que os primeiros astrônomos/astrólogos babilônios situaram as trajetórias das partes celestes que viam no seu claro céu noturno. Viram que apenas certas manchas se moviam no céu. Algumas estavam sempre lá, como a estrela Polar ou Pégaso... porém manchas como Vênus apareciam e sumiam.

Eles também chegaram à conclusão de que devia haver uma conexão entre esses corpos celestes e a vida aqui na Terra. E por que não? Fazemos parte do mesmo universo. Vivemos na mesma porção do espaço. Com certeza, haveria uma conexão entre nós.

O Vigia do Quarteirão

É mais ou menos como nossos vizinhos. Talvez você seja como a maioria das pessoas, que não visita e nem conversa com os vizinhos, vai tocando a vida, certo de que eles estão fazendo suas coisas e você as suas. Mas e se descobrisse seus nomes e soubesse o que fazem da vida? Talvez pudessem ajudá-lo se sua máquina de lavar roupa quebrasse e inundasse a lavanderia, ou poderia usar a geladeira deles caso a sua quebrasse, ou poderiam tomar conta do seu periquito/gato/hamster/coelho quando você fosse viajar.

No universo é assim. Conhecer a vizinhança não melhora necessariamente a nossa vida, mas, se percebermos que todas as vezes em que há um furacão Marte está em Gêmeos, passaremos a prestar mais atenção.

Esse é o princípio básico da Astrologia. A percepção de nossos vizinhos e a compreensão de que não estamos sós no universo, e de que esses corpos planetários são nossos amigos.

Nossa Impressão Digital Cósmica

O horóscopo é parecido com uma impressão digital; fala de nós mesmos e do nosso potencial.

O que é um nativo de Áries? Ariano é quem nasce quando o Sol está na porção do céu que chamamos de "Áries". E essa porção do céu (segundo a vemos da Terra) é determinada pelo solstício da primavera.* Ele costuma acontecer por volta de 21 de março, e, como são doze os signos do Zodíaco, dividimos o ano em doze porções iguais, e a porção de Áries dura até 20 de abril.

Porém, só para dificultar as coisas, tudo depende do lugar do mundo onde você nasceu e da hora do dia. Se o seu ariano** nasceu às 2h da madrugada em 21 de março, pode ser que ainda seja de Peixes, e por isso vamos usar um site muito bom e confiável para obter a informação correta e precisa.

Cada signo do Zodíaco tem um planeta "cuidando" dele. Nós dizemos que é o seu "regente". O regente de Áries é Marte, o Deus da Guerra.

---

* Ao longo do livro, a autora se refere às estações do ano no Hemisfério Norte. (N. do T.)

** Para evitar flexões de gênero que tornam a leitura incômoda, como meu (minha), o (a) etc., mantive o gênero no masculino, exceto em casos específicos. (N. do T.)

A Astronomia de Marte

A superfície de Marte é coberta por uma camada de óxido de ferro ou ferrugem, o que faz com que pareça ser vermelho conforme o vemos da Terra. Ele é chamado de "planeta vermelho" e se assemelha à Terra, apesar de ser bem menor, com um diâmetro de apenas 6.779 quilômetros.

Ao contrário da Lua, a superfície de Marte é marcada por ventos, e sua área desértica tem tempestades de areia sazonais. Diversas sondas foram enviadas à sua superfície ao longo dos anos, descobrindo canais e barrancos que parecem ter sido esculpidos por água corrente.

Como a Terra, Marte tem estações e clima e leva apenas 24 horas para girar uma vez em torno do seu eixo. Entretanto leva 687 dias para girar em torno do Sol, com um ano mais longo do que o nosso, que tem 365 dias.[2]

Durante o inverno de Marte, um terço de sua atmosfera se mantém congelado acima das calotas de gelo polar. Ele também mostra as cicatrizes de um pesado bombardeio de meteoritos que formou crateras e bacias de impacto.

Foi visto de perto pela primeira vez pela sonda *Mariner 4* dos Estados Unidos, em 1965; depois, entre 1971 e 1972, a *Mariner 9* observou o planeta. Em 1976, a sonda norte-americana *Viking* chegou à superfície, mas os resultados que apresentou foram inconclusivos. Na década de 1990, o *Mars Pathfinder* pousou no Vale de Ares, um nome bem apropriado!

Desde então, temos tido registros sobre sua atmosfera, sua superfície rochosa e suas condições climáticas.

Marte também é o anfitrião de duas Luas, chamadas Fobos e Deimos, em homenagem a dois dos filhos de Ares, segundo a mitologia grega. A melhor ocasião para observar Marte é quando ele está em oposição ao Sol e mais próximo da Terra. Durante o alinhamento entre Marte, Terra e o Sol, o que acontece a cada 26 meses, o brilho vermelho de Marte pode ser visto a olho nu.[3]

Marte na Astrologia

Marte é o planeta vermelho, cor do sangue e das emoções, e – o que não deve nos surpreender – o Deus da Guerra dos antigos. Se Vênus é a garota arquetípica do sistema solar, Marte é o rapaz original, que representa a ambição, a competitividade, a força de vontade e a busca ativa daquilo que é atraente.

Marte era o Deus da Guerra dos romanos, e o planeta Marte simboliza nossa natureza agressiva. O surgimento do planeta Marte, com sua fogosa cor vermelha, sugere ação. Também costumamos ouvir referências a ele como o "furioso planeta vermelho" e coisas semelhantes. Marte representa o que fazemos para conseguir o que queremos, como nos afirmamos e expressamos nossa independência, e também como nos defendemos quando estamos sendo atacados. Marte é o complemento de Vênus, e ambos estão relacionados ao mecanismo do desejo e da atração.

Marte também representa nossa coragem, determinação e a liberdade do impulso espontâneo. Pessoas regidas por Marte são notoriamente ambiciosas, positivas e apreciam a liderança. São bastante inventivas e mecânicas e podem ser bons *designers*, construtores e gerentes, ocupando o espaço de liderança naquilo que fazem.

Palavras relacionadas a Marte são o mês de março, o nome do planeta Marte (e também dos marcianos), a corte marcial e as artes marciais.

Porém você não precisa aceitar tudo que estou dizendo. Não sou a primeira astróloga a escrever sobre os signos solares.

A Autora *Best-Seller* de Livros sobre Astrologia

A pessoa que escreveu apenas sobre os signos solares (e não sobre os outros planetas ou como montar mapas) e que conseguiu fazer com que seu livro *Linda Goodman's Sun Signs* entrasse na lista dos mais vendidos do *New York Times*, com mais de 1 milhão de cópias vendidas até 1976, foi, como o nome sugere, uma senhora chamada Linda Goodman.

Linda era de Áries, e por isso podemos ter a certeza de que a descrição do seu signo é precisa, pois fica mais fácil escrever sobre algo quando se vivencia o assunto:

> Recentemente, você conheceu alguma pessoa incomumente amigável, com jeito agressivo, aperto de mão forte e um sorriso instantâneo? Prepare-se para uma vertiginosa corrida ao redor da amoreira. Você acaba de ser adotado por um ariano. Especialmente se teve certa dificuldade para conduzir a conversa.
>
> Ele está comprometido com alguma causa idealista e defende com vigor os necessitados? Faz sentido. Homem ou mulher, essas pessoas lutam por aquilo que consideram injusto na mesma hora e não se envergonham em verbalizar sua opinião. O carneiro vai discutir com a mesma ênfase com um guarda de trânsito ou com um gângster armado, se um deles o irritar. Ele pode até se arrepender depois, mas a cautela não será sua preocupação no calor do momento. As pessoas de Marte vão direto ao ponto, sem hesitar.

Vamos ver a opinião de mais alguns astrólogos a respeito de Áries.

Eis o que disse Colin Evans em seu *The New Waite's Compendium of Natal Astrology*, de 1967:

> Os nativos de Áries caracterizam-se pela intelectualidade, autoconfiança, atividade, energia e impulsividade. São pioneiros no mundo do pensamento e da ação, embora sejam mais idealistas do que práticos. Sempre voluntariosos e teimosos quando jovens, muitos deixam de adquirir uma dose necessária de cautela, mesmo na maturidade, e continuam a percorrer os extremos.[4]

Humm, dá a impressão de que os arianos de Colin são caubóis lidando com animais selvagens... Vamos ver o que disseram Marion e Joan em seu *The Only Way to Learn Astrology*:*

> "Eu sou."
>
> Pioneiro, executivo, competitivo, impulsivo, ansioso, independente, dinâmico, vive no presente, rápido... dominador, irascível, violento, apressado, arrogante, "eu primeiro", brusco, carece de persistência.[5]

Estas são algumas das características arianas, mas conheço alguns arianos discretos e até tímidos...

Vejamos o que dizem Felix Lyle e Bryan Aspland em seu livro *The Instant Astrologer* em 1998:

> Assertivo, determinado, independente, autocentrado, entusiástico, impaciente, honesto, despreocupado, competitivo, gosta de discutir, enérgico, decidido, dominador, apaixonado.[6]

---

* *Curso Básico de Astrologia*, publicado em três volumes pela Editora Pensamento, São Paulo, 1988.

Caroline Casey, no verdadeiro estilo libriano, pinta uma imagem um pouco mais equilibrada em seu *Making the Gods Work for You*, de 1998:

> As pessoas de Áries parecem independentes, mas, como buscam sua identidade nos outros, o seu segredo, revelado por Libra, seu signo oposto e autoconsciente em termos sociais, é que nenhum signo se preocupa mais com os relacionamentos do que ele. Preferem qualquer tipo de interação – mesmo que seja negativo – a não ter nenhuma: "Se pudermos ser amigos, vai ser ótimo; se não pudermos, vamos brigar". O combate é uma forma de intimidade. Se não conseguirem alguém para brigar com eles, vão provocar uma briga consigo mesmos.[7]

Humm, mais uma vez, aparece essa fixação com a luta. Como se todos os arianos estivessem vestidos para matar (literalmente), com um revólver ou uma lança na mão...

Vamos ver o que Bil Tierney escreveu em seu *All Around the Zodiac*, de 2001:

> Toda velocidade à frente.
> De todos os signos do Zodíaco, Áries parece ser aquele que mais gosta de velocidade. Os signos de Fogo e de Ar apreciam as respostas rápidas na vida, mas, sendo cardinal e de Fogo, Áries exige as respostas mais rápidas e pode ser bastante impaciente quando o tempo parece se arrastar.[8]

É bem assim; vi essa velocidade em primeira mão...

Gina Lake, em seu *Symbols of the Soul*, discute as qualidades mais esotéricas desse signo:

> Têm uma crença inabalável neles mesmos e em sua capacidade de lidar com a vida, alimentada por um senso íntimo de justiça e de correção com relação ao mundo.[9]

Isso já tem mais a ver com os arianos que conheço.

Bem, isso foi o que disseram alguns autores de livros astrológicos. Porém vamos ver quais seriam os atributos desse signo segundo alguns arianos.

Cathy é terapeuta autônoma e mora e trabalha numa grande e agitada cidade da Grã-Bretanha:

> *"Acabei de ver sua mensagem e pensei em acrescentar uma ideia passageira: como ariana passando pela vida e com a impressão de estar enfrentando cada obstáculo como se fosse pela primeira vez, seria mais fácil ser de outro signo?*
>
> *Parece que sacudir a poeira e começar de novo com otimismo, vezes e vezes seguidas, é uma característica à qual acabamos nos acostumando, e, nas palavras de Scarlet O'Hara em* E o Vento Levou ... *(acredito que ela também era de Áries): '... amanhã será outro dia'".*

Sim, isso descreve a característica ariana de não abrir mão de si mesmo ou de seus pontos de vista.

Margaret é mãe e conselheira de desenvolvimento pessoal em tempo integral. Ela me falou um pouco sobre seu signo:

> *"Os arianos podem ser teimosos! Meu pai, eu e minha filha somos de Áries. Os arianos são mesmo líderes natos! Podem ser teimosos,*

mas também são sensíveis. Isso lhes permite dosar a teimosia para que também sejam compreensivos, o que os torna líderes melhores! É claro que sou suspeita para falar, pois sou ariana".

Algumas pessoas vivem felizes com seu signo solar. Jessica trabalha como chefe de seção num *call center*:

> *"Ouvi falar em Astrologia pela primeira vez ao ler as colunas dos signos dos jornais quando era menina. Adorava o fato de ter nascido como ariana. Excitava a minha imaginação pensar que, em algum nível profundo da alma, eu era uma guerreira como She-Ra (meu desenho animado favorito)".*

Embora muita gente conheça seu signo solar, nem todos conhecem outros detalhes do mapa natal. Como eu, Penelope descobriu seu signo Ascendente e isso mudou sua vida:

> *"Durante anos, meu conhecimento da Astrologia limitou-se a saber que meu Sol estava em Áries. Ninguém da minha família se interessa por Astrologia – aprendi sozinha. Já mais velha, descobri, pela Internet, que meu Ascendente era Escorpião, o que explicou mais algumas coisas. No passado, quando participava de brincadeiras do tipo 'Adivinhe o meu signo', as pessoas sempre achavam que eu era de Escorpião. Agora, conhecendo meu Ascendente, finalmente descobri a razão! Tenho estudado a Astrologia como* hobby *desde então".*

Algumas palavras-chave vêm se repetindo até agora: Independente/Líder, Afobado/Impaciente, Entusiasmado, Determinado, Corajoso/Valente e Assertivo.

Independente/Líder

Mandy é uma professora aposentada que mora em Chicago e tem quatro filhos. Ela nos fala sobre sua capacidade de liderança:

> *"Sou e sempre fui uma líder. Sou a filha mais velha e a única mulher. Sou professora aposentada – a ditadora boazinha na sala de aula. Na minha inocência ariana, às vezes, vou a lugares que os anjos temem ir".*

Perguntei a Leander, funcionária de uma farmácia pública, "Você se considera uma líder?".

> *"Apesar de ter me tornado uma eremita nos últimos tempos, minhas qualidades de liderança estão melhorando. Por dentro desta garota tímida há alguém que deseja mostrar e ensinar aos outros como podem superar adversidades extremas e aprender a se sentir bem consigo mesmos, que quer compartilhar experiências e lhes mostrar como eles podem não apenas sobreviver, mas também prosperar."*

"Como você se sente quando precisa receber ordens ou instruções de alguém?"

> *"No passado, eu me sentia muito frustrada. Mas não fico mais – não recebo instruções de ninguém a menos que concorde antes com a pessoa. Se eu não concordar, simplesmente abandono a situação. Bem, recentemente, estava com minha mãe idosa e fui verificar a fiação da poltrona que a ajuda a se levantar e que não estava funcionando. Ela foi me dizendo tudo passo a passo. Fiquei frustrada, pois, com 59 anos, creio que posso olhar para uma fiação e ver se*

está tudo no lugar, e eu lhe disse isso, sem gritar e sem ofender. Só para que ela soubesse que tinha de parar. Aí, larguei a poltrona, fui até o outro lado da sala e me sentei."

"O que deixa você louca?"

"Pessoas que me dizem o que fazer. Ruídos agudos. Pessoas que não aceitam um não como resposta e tentam argumentar comigo para que eu diga sim."

Poppy é dona de casa, mãe, viúva e terapeuta alternativa. Antes, trabalhava como secretária num escritório de advocacia. Ela fala de sua capacidade de liderança:

"Sim, acredito que você pode me chamar de líder. Gosto de organizar e separar as coisas e gosto de reunir as pessoas para beneficiá-las, ou seja, gosto de ser uma facilitadora.

Não tenho problemas com o fato de ter de receber ordens ou instruções das pessoas – já trabalhei nessa situação e não tive problemas. Mas, se estou fazendo alguma coisa nova – como na época em que estava aprendendo a dirigir e pedia a meu instrutor para me dizer uma vez e depois deixar-me descobrir sozinha –, eu preciso poder usar meu 'cérebro' e não gosto que me deem tudo mastigado! Sempre fui escolhida para 'treinar' os novos funcionários quando trabalhava num escritório. Os arianos – e estou ME descrevendo – são líderes leais, protetores, impacientes, emotivos, independentes, fortes e esforçados; sempre aceitarei um desafio!"

Esse amor pela independência não é uma experiência exclusiva de pessoas do mundo moderno; ele existe há muito tempo.

Isambard Kingdom Brunel nasceu em 1806 e é uma pessoa razoavelmente famosa na região onde moro. Ele autorizou a construção da Ponte Pênsil Clifton, uma tarefa grandiosa naquela época. Ele disse: "Oponho-me ao estabelecimento de regras ou condições a serem observadas na construção de pontes, a menos que o progresso dos melhoramentos de amanhã possa ser prejudicado ou paralisado ao se registrar como lei os preconceitos e erros de hoje".

Perceba a palavra-chave nessa citação: "paralisado". Este é o maior medo dos arianos: ser detido, amarrado pelos outros, prejudicando a expressão livre de seus objetivos e de suas ambições.

A maneira mais rápida de tirar o poder de um ariano é impedi-lo de se envolver em alguma coisa pela qual ele tem sentimentos profundos, que sabe que pode fazer, com a qual sonhou, na qual pensou, planejou e praticou... bem, deu para entender.

Eis o que consta em sua página na Wikipédia: "Embora nem sempre os projetos de Brunel tenham sido bem-sucedidos, volta e meia, continham soluções inovadoras para problemas de engenharia que careciam de resposta havia muito tempo".

Isso não interessa para o ariano. Ele não se importa de cometer erros (especialmente se tiver planetas em Sagitário) e vai prosseguir independentemente da oposição. Na verdade, se você quer que um ariano faça alguma coisa, diga-lhe para NÃO fazê-la! Será como pôr lenha na fogueira...

Afobado/Impaciente

Minha pior qualidade é a impaciência.

– Emma Thompson

Karen é massoterapeuta e mãe solteira de duas meninas. Ela mora perto de minha casa, na região oeste do estado.

> *"Sou muito impaciente. Não consigo esperar por nada, e acho que a espera me irrita... especialmente as pessoas que se atrasam! Também me irrito com pessoas que perdem tempo, que são lerdas e indecisas!"*

Elaine tem um diploma em aconselhamento e mora em Indiana, nos Estados Unidos, com seu cão Rum. Ela fala sobre sua impaciência:

> *"Varia, depende do meu grau de estresse. Na maior parte do tempo, sou bem impaciente, e já me disseram isso várias vezes."*

"O que irrita você?"

> *"Achar que meu tempo está sendo consumido por um excesso de pedidos da mesma pessoa. Além disso, detesto quando me dizem como fazer algo que já sei fazer. E o pior: ser criticada. Quando os outros tiram conclusões precipitadas sobre mim sem se preocuparem em saber como eu sou de fato."*

Poppy fala de seu nível de impaciência:

> *"Muito impaciente! A ponto de ficar mal-humorada!"*

Corajoso/Valente

Sou um herói com pernas de covarde.

– Spike Milligan

Uma coisa que define um ariano é sua capacidade de se aventurar corajosamente em lugares dos quais outros pensariam duas vezes antes de se aproximar. Quando um ariano tem um projeto em andamento ou está desenvolvendo uma ideia, dificilmente reduz o seu ímpeto. Os arianos não se preocupam com "o que os outros pensam" quando estão convencidos de que aquilo tem seus méritos.

Maya Angelou, escritora, poeta, porta-voz da comunidade negra e sobrevivente de um estupro, nunca teve medo de dizer a sua verdade. Ela disse "Não nascemos necessariamente com coragem, mas sim com o potencial para ela. Sem a coragem, não podemos praticar nenhuma outra virtude de forma consistente. Não podemos ser bons, verdadeiros, piedosos, generosos ou honestos."

Samuel Hahnemann, "inventor" da homeopatia, cujo mapa astral vamos explorar, enfrentou muita oposição às suas novas ideias. Mas como estava movido pelo desejo de levar a cura à medicina e não à doença, e a não se aliar a seus contemporâneos em suas aplicações médicas drásticas, pode ser considerado facilmente como corajoso. É preciso coragem para ir contra o pensamento convencional, o dogma ou as tendências atuais.

Às vezes, o desejo ariano de vencer a qualquer custo deve ser visto como uma precipitação. Reduz-se a possibilidade de discussões ou de negociação; estas são qualidades mais librianas. Como disse o cantor Marvin Gaye, "negociar significa obter o melhor de seu oponente".

Validação

Escrevi um artigo – que publiquei no meu *website* no final da década de 1990 – sobre os mapas astrais de crianças Índigo. Foi o resultado de uma pesquisa de cinco anos envolvendo o formato singular desses mapas, pois muitas delas nasceram com mapas concentrados num dos lados e com uma conjunção Urano-Netuno.

Índigo é a pessoa que nasce para desafiar aquela autoridade que deseja que todos façam a mesma coisa, mas sem um bom motivo. É uma raça de pessoas que estão aqui para "mudar o modo como fazemos as coisas", nem sempre de formas aceitáveis. A prisão recente de três russas, integrantes do chamado Pussy Riot, é um exemplo de Índigos que não sabem negociar direito. Elas queriam provar alguma coisa; seu erro foi fazê-lo de uma forma mais desafiadora.

Meu artigo atraiu muitos visitantes – até agora, a contagem está na casa dos 25 mil –, e de vez em quando faço algumas observações e alguns comentários no website www.indigosociety.com.

Um dos jovens que "conheci" lá era de Áries. Ele se sentiu tão tocado pelo conceito Índigo e por minhas observações astrológicas – relacionadas ao nascimento de uma raça de pessoas com mapas astrais bem diferentes, com todos os planetas de um lado do círculo e Urano e Netuno juntos, algo que só acontece uma vez a cada 170 anos, mais ou menos – que ele fez um vídeo sobre a minha pesquisa e postou-o no YouTube.

O motivo pelo qual estou mencionando isso é que esse jovem era de Áries... e uma das coisas mais importantes que ele disse nesse vídeo do YouTube foi:

"Conheci Mary e ela me validou".

Ele queria que eu validasse, ou seja, confirmasse sua existência como Índigo.

O que significa a "validação" para o ariano?

Meu dicionário define "validar" como "conferir ou provar a validade ou a precisão de. Demonstrar ou apoiar a verdade ou o valor de".

E o que é "válido"? "Apoiar de fato o ponto ou a alegação visada. Sua origem está na palavra francesa *valide*, do final do século XVI, ou no latim *validus*, que significa 'ser forte'".

Em linguagem simples: significa que o ariano deseja receber apoio para o que ele faz e para quem ele é. Ser reconhecido por sua força de espírito, o que, na verdade, exige certa dose de energia pessoal para se manter. Como disse o ariano Abraham Maslow: "Podemos definir terapia como a busca do valor".

Capítulo 2

♈ Como montar um mapa astral ♈

Na verdade, é muito fácil montar um mapa nos dias de hoje. Não é preciso calcular ângulos ou graus complexos nem descobrir a latitude ou a longitude do local de nascimento. Você também não precisa se preocupar com "Horário de Verão" e "Horário de Guerra", ou com outros tipos de horário.

Você só precisa de três informações e de um acesso à Internet.

Primeiro, você precisa ter:

- A data
- O horário
- O local de nascimento de seu ariano. Alguma coisa como 31 de março, 16h, Londres, Inglaterra.

Para fazer o mapa de seu ariano, vá ao site (em inglês) www.astro.com e crie uma conta; depois, vá à seção "Free Horoscopes" [Horóscopos Gratuitos] e use a parte especial do site, a "Extended Chart Selection" [Seleção Estendida de Mapas].

Você já digitou todos os seus dados, que vão aparecer na caixa no alto, perto do seu nome.

Torne a descer pela página e, sob a seção marcada "Options" [Opções], você verá uma caixa que diz "House System" [Sistema de Casas], e na caixa estará marcado "Default" [Padrão].

Agora, *certifique-se* de *mudar a caixa* para *indicar equal houses"* [casas iguais]. Por padrão, o sistema é Placidus, e todas as casas terão tamanhos diferentes; para um principiante, isso é confuso demais.

Vamos montar o mapa de Samuel Hahnemann, fundador da Homeopatia, uma forma alternativa de medicina. Ele nasceu "pouco antes da meia-noite" numa terça-feira, 10 de abril de 1755.

Você vai encontrar a imagem do mapa de Samuel no início do Capítulo 3. As linhas no centro do mapa representam associações matemáticas (chamadas de *aspectos*) fáceis ou desafiadoras entre os planetas do mapa, mas, para nossos fins, você pode ignorá-las.

As casas são numeradas de 1 a 12 no sentido anti-horário. Vamos conhecê-las melhor no Capítulo 5.

Queremos apenas três informações. O **signo** do **Ascendente**, o signo em que a **Lua** está e a **casa** onde o **Sol** se encontra.

Esta é a abreviatura do Ascendente: ASC, sobre o qual falaremos no Capítulo 3.

Este é o símbolo do Sol, que aprendemos no Capítulo 1: ☉

Este é o símbolo da Lua, que vamos conhecer no Capítulo 4: ☽

Estas são as formas que representam os signos; descubra aquela que corresponde ao seu. São chamadas de "glifos". O símbolo de Áries se parece com a letra V, lembrando os chifres do Carneiro.

Áries ♈
Touro ♉
Gêmeos ♊
Câncer ♋
Leão ♌
Virgem ♍
Libra ♎
Escorpião ♏
Sagitário ♐
Capricórnio ♑
Aquário ♒
Peixes ♓

Os Elementos

Para compreender plenamente o seu ariano, você precisa levar em conta o Elemento em que estão seu Ascendente e sua Lua.

Cada signo do Zodíaco está associado a um elemento sob o qual ele opera: Terra, Ar, Fogo e Água. Gosto de imaginar que eles atuam em "velocidades" diferentes.

Os signos de **Terra** são **Touro**, **Virgem** e **Capricórnio**. O Elemento Terra é estável, arraigado e lida com questões práticas. O ariano com muita Terra em seu mapa funciona melhor a uma velocidade bem baixa e constante. (No texto, refiro-me a eles como "Terrosos".)

Os signos de **Ar** são **Gêmeos**, **Libra** e **Aquário** (que, embora seja o "Aguadeiro", *não é* um signo de Água). O Elemento Ar gosta de ideias, conceitos e pensamentos. Opera numa velocidade maior que a do Elemento Terra; não é tão rápido quanto o Fogo, mas é mais veloz do que a Água e a Terra. Imagine-o como tendo uma velocidade média.

Os signos de **Fogo** são nossos amigos **Áries**, **Leão** e **Sagitário**. O Elemento Fogo gosta de ação e excitação, e pode ser muito impaciente. Sua velocidade é *muito* alta. (Refiro-me a eles como "Fogosos", ou seja, do Elemento Fogo.)

Os signos de **Água** são **Câncer**, **Escorpião** e **Peixes**. O Elemento Água envolve sentimentos, impressões, palpites e intuição. Opera mais rapidamente do que a Terra, mas não tanto quanto o Ar. Sua velocidade seria entre lenta e média.

Capítulo 3

♈ O ascendente ♈

Nome: ♈ Christian Hahnemann Nascido numa quinta-feira, 10 de abril de 1755 Em: Meissen, Alemanha 13e28. 51n10 Mapa Natal (Método: Estilo da web/Iguais)	Signo solar: Ascendente: Hora: Hora Universal: Hora Sideral:	Áries Sagitário 23h59 23h05m08s 13h14m19s)	ASTRO DIENST www.astro.com Tipo: 2 GW, 00.1 4 de nov. 2012

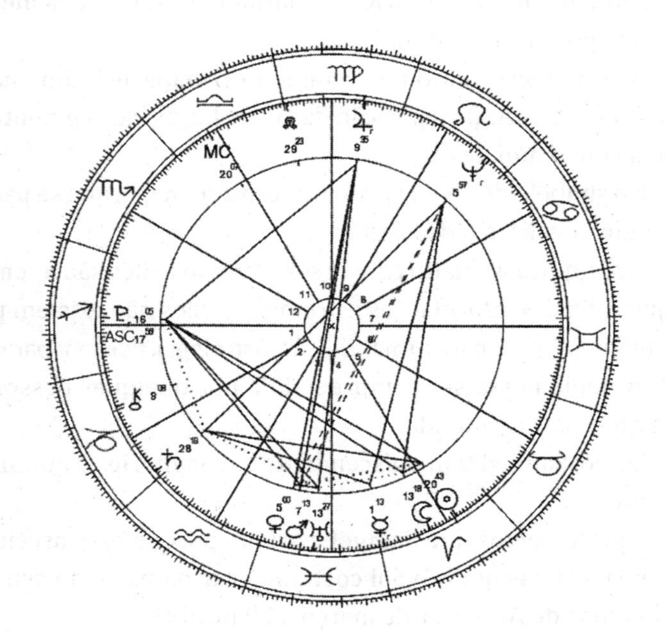

No mapa de exemplo acima, vemos o horóscopo de Samuel Hahnemann, criador da Homeopatia.

Bem, quer concorde que a Homeopatia é uma forma válida de medicina, quer não (eu acho que é, mas sou suspeita – eu estudei e me formei em Homeopatia), Hahnemann foi um pioneiro em sua época, pois discordava veementemente das práticas bárbaras em que seus colegas médicos estavam envolvidos.

A "medicina" incluía purgas corporais, enemas imensos, laxantes violentos ou eméticos enjoativos para induzir vômitos. Sanguessugas eram aplicadas ao corpo, chegando às vezes a se utilizar sessenta delas, e sangrias também eram realizadas, tudo em nome da saúde e da cura. "Estas foram as sementes do descontentamento de Hahnemann e sua rebelião subsequente. A desumanidade, a barbárie e a charlatanice da prática médica de sua época o chocaram."[10]

Bem, se você montou corretamente o mapa de Hahnemann, verá as iniciais ASC na posição das nove horas, no segmento do mapa com o número 1.

E o símbolo do signo na área externa do mapa, que se parece com uma flecha, é o de Sagitário.

Não fique assustado com esses símbolos. Eles são apenas a taquigrafia das informações astrológicas. Eles não existem para confundi-lo e nem para tornar difícil a Astrologia. Existem para que a Astrologia possa ser compreendida por qualquer pessoa de qualquer país do mundo.

Então, Samuel tem o Ascendente em Sagitário. O que significa isso?

Bem, sabemos que Samuel é ariano porque ele nasceu entre as datas nas quais o Sol costuma ficar na parte do céu que chamamos de Áries: 21 de março a 20 de abril.

Entretanto, no dia em que ele nasceu, naquela hora específica, o signo que estava se elevando (ascendendo) no céu pouco antes da meia-noite era... Sagitário.

Isso não o impediu de ser de Áries. Isso se somou à sua personalidade ariana. E, puxa, como somou!

Sagitário é o signo das viagens a lugares distantes, da educação superior e da filosofia. Samuel viajou, com certeza. Ele nasceu em Meissen, na Saxônia, e depois morou em:

Leipzig
Hettstedt
Dessau
Gommern
Dresden
Lockwitz
Leipzig (de novo)
Stotteritz
Gotha
Georgenthal
Molschleben
Pyrmont
Hamburgo
Mulhausen
Gottingen
Brunswick
Wolfenbuttel
Konigslutter
Altona
St Jurgen
Molln

Machern
Eilenburg
Wittenburg
Dessau (de novo)
Pfarrgasse-Torgau
Leipzig (de novo)
Kothen

E por último Paris, onde morreu aos 89 anos em julho de 1843.

Como naquela época as viagens eram feitas a cavalo ou de carruagem, e uma viagem entre Paris e Kothen levava catorze dias, no mínimo, podemos dizer que ele era um homem que *não tinha medo* de viajar.

Áries é destemido e Sagitário adora viajar.

O Ascendente descreve "como" você veio ao mundo. Os óculos que você usa, o paletó que você veste, sua parte exterior, aquela que as pessoas "conhecem" primeiro. É a forma como você lida com a vida.

Se o seu Ascendente é Touro, você pode ter vindo ao mundo mais lentamente, com mais paciência. Se o seu Ascendente é Escorpião, talvez seu nascimento tenha sido extremamente conturbado; pode ser que sua mãe tenha corrido risco de vida.

O Ascendente conta como a pessoa inicia um projeto (mas não como o termina) e representa sua postura diante da vida. Alguns astrólogos chamam o Ascendente de "Caminho da Vida" e dizem que ele descreve a estrada sobre a qual iremos caminhar.

Ele não modifica seu eu inato (seu signo solar), mas modifica maneira como ele se expressa.

Adiante, relaciono todos os Ascendentes possíveis para um ariano.

Observe o mapa que você fez para si mesmo ou para o amigo/parente ariano e veja como esse Ascendente afeta sua *arianidade*.

Ele se soma a ela?

Ele a prejudica?

Reduz sua velocidade?

Acelera-a?

Ascendente em Áries

Os caras adoram mulheres duronas, sobreviventes.
Enfrentei muita coisa e não fiquei amargurada por causa disso.

– Samantha Fox

Um ariano com Ascendente (ou Lua) em Áries é 110% ariano. Portanto todas essas palavras destemidas, combativas e apressadas são expressadas com honestidade gritante e falta de *finesse*. Ninguém vai lhes dizer o que fazer, onde fazer ou por que aquilo deve ser feito. Eles já passaram dessa fase e estão voltando seu olhar para o próximo projeto empolgante.

Ascendente em Touro

Fico mais feliz quando vejo coisas belas.

– Ali MacGraw

Regido por Vênus, a Deusa do Amor, o Ascendente em Touro quer ficar rodeado por tudo que a beleza e o bem-estar podem trazer. Um estômago cheio, ou pelo menos a despensa abarrotada, dinheiro suficiente para desfrutar das melhores coisas da vida e um ritmo bem mais lento em comparação com seu signo solar. Rotinas, ações práticas e a necessidade de aproveitar as experiências da vida.

Ascendente em Gêmeos

A câmera consegue fotografar pensamentos.

– Dirk Bogarde

A energia leve e esvoaçante do Ascendente em Gêmeos dá ao ariano um processo mental ainda mais ágil. Ping! Pong! Lá se foi outro pensamento voando por sua mente. Sempre alerta para a diversão e para os acontecimentos, raramente descansam e certamente não se acomodam. Podem mudar de casa, de emprego, trocar uma ideia por outra, mas certamente sua vida não será monótona.

Ascendente em Câncer

Há uma parte cercada do quintal, e lá no fundo fizemos uma casinha para os cachorros dormirem à noite.

– Emmylou Harris

Com o Ascendente no mais empático dos signos de Água, Câncer, o Sol em Áries ganha um exterior mais emotivo. A família, inclusive gatinhos perdidos e cachorrinhos sem lar, será o centro de sua atenção, e nada será mais agradável para esses nativos do que estarem cercados por seus entes queridos. Não importa se os parentes têm ou não vínculos sanguíneos, mas sim se fazem parte da "família".

Ascendente em Leão

Não sei se a câmera gosta de mim, mas eu gosto da câmera.

– Celine Dion

Leão adora brilhar. Sendo também um signo de Fogo, dá a Áries a capacidade de brilhar, mesmo quando o dia parece nublado ou chuvoso. O eterno otimista se encontra com o amigável leão e regozija-se quando é elogiado, retrai-se quando é ignorado. Vai alegremente a lugares que os anjos temem visitar ou raramente exploram e podem transformar habilmente uma tragédia ou um infortúnio numa produção dramática completa.

Ascendente em Virgem

Como é que alguém pode odiar as enfermeiras?
Ninguém odeia enfermeiras. A única situação na qual odiamos uma enfermeira é quando ela nos aplica um clister.

– Warren Beatty

Virgem está preocupado com a saúde, com a cura e com a manutenção do corpo, para que fique sempre reluzente e em boa forma física. Este Ascendente dá ao ariano certa atenção aos detalhes, o que é um ponto positivo. Além disso, pode disfarçar habilmente sua verdadeira natureza, fazendo-o parecer um tanto manso e brando. É uma ilusão. Ele ainda é o líder; acontece que ele prefere ser o líder perfeito.

Ascendente em Libra

Estou sempre procurando encontros significativos de uma única noite.

– Dudley Moore

Unir-se com "O Parceiro" ou "A Parceira" é o canto da sereia do Ascendente em Libra, o que destoa um pouco da necessidade ariana de cuidar do "eu". Esta é uma batalha eterna entre intelectos e só é vencida quando a porção ariana permite que aquela pessoa importante compartilhe seu espaço pessoal. Então, ela saberá que é possível amar alguém e ser amado sem perder a autonomia.

Ascendente em Escorpião

Pensamos demais e sentimos muito pouco.

– Charlie Chaplin

Intensidade, paixão e grande força de vontade vão bem com a psique de Áries. Isso pode fazer com que a pessoa tenda a ser um tanto intensa demais, independente demais e autoconsciente demais, mas mesmo assim é um Ascendente bem forte. São sobreviventes emocionais e os últimos a admitir a derrota quando os valores em jogo são importantes. Sua visão de raios X enxerga no fundo de sua alma, e sua palavra-chave é "confiança".

Ascendente em Sagitário

A vida de cada pessoa é um conto de fadas escrito pelas mãos de Deus.

– Hans Christian Andersen

Mirando as flechas da descoberta bem alto no céu, o Ascendente em Sagitário traz, para os arianos, uma postura investigativa, curiosa, que parece nunca ficar satisfeita. Eles adoram relações internacionais, a exploração de outras culturas e de suas crenças, e, se acham que estão com a razão, não há discussão ou argumento que faça com que mudem de ideia.

Ascendente em Capricórnio

Ele explorava todos os jovens que trabalhavam para ele,
mas lhes dava responsabilidade e oportunidade.
Por isso, creio que foi um negócio justo.
– Francis Ford Coppola

Regidos pelo severo Saturno, Deus da contenção e da responsabilidade fiscal, têm uma visão de vida que gira em torno daquilo que demanda esforço. São ambiciosos e focados no futuro, e seu medo é a falta de recursos e/ou de dinheiro. Por isso, quando determinarem onde querem chegar, nada ficará no seu caminho, e – como uma escada rolante, e não como um cometa – vão atingir essa meta elevada.

Ascendente em Aquário

A coisa mais estranha que me aconteceu foi descobrir que as
pessoas que vão a essas convenções são repletas de amor.
– William Shatner*

---

* Ator norte-americano que fazia o papel de capitão Kirk na série *Jornada nas Estrelas*, referindo-se às convenções de fãs do programa. (N. do T.)

Este é um Ascendente engraçado e estranho para um ariano, e, regido por Urano, o "planeta amalucado", prenuncia alguém que deseja "ser diferente". Ele também anseia pela liberdade e odeia instruções, ordens, regras e regulamentos e qualquer coisa que os impeça de explorar. São mais focados em grupos do que nos indivíduos, e definitivamente altruístas. Eles vão salvar "o mundo" – e o seu mundo também.

Ascendente em Peixes

Estamos eternamente ligados não apenas uns aos outros,
mas também ao nosso ambiente.
– Herbie Hancock

Fadas, anjos meigos cantando, ligação com o universo e com os confins da criação atraem esse Ascendente. Como resultado, tem pensamento confuso e atrasos. Eles amam o que é esotérico e aquilo que não pode ser explicado. Eles conseguem sentir a dor alheia a cinquenta passos de distância e fazem de tudo para evitar mais sofrimentos. Regido por Netuno, o Deus da Água, a prioridade na agenda será esparramar emoções e sentimentos.

Capítulo 4

♈ A Lua ♈

Se o Sol representa nosso "Ego", ou o *eu maior*, então na Astrologia a Lua representa exatamente o que ela é na vida real: o reflexo da luz do Sol.

A *anima* e o *animus*.

O subconsciente e o consciente.

A emoção *versus* o pensamento.

Durante séculos, a Lua foi venerada como arauto do feminino, a Deusa do sentimento, a luz da escuridão. Ela não emite luz própria; vale-se dos raios eternos do Sol. O Sol dá; a Lua recebe. Tenha em mente essas ideias quando ler sobre a Lua nos diferentes signos, pois terão significados levemente diferentes daqueles apresentados para os signos solares. Enquanto o Sol em Áries se levanta e sai, a Lua em Áries fica irritada e sai. (Há uma diferença sutil.)

Para descobrir o signo lunar de seu ariano, procure o símbolo da Lua ☽ no mapa. Em nosso exemplo, Samuel tinha a Lua no signo de Sagitário.

Tratei aqui apenas dos signos em que a Lua pode estar, e não de sua localização no mapa. É que este é um livro introdutório. Se quiser conhecer melhor o significado da localização da Lua no seu mapa, por favor, entre em contato comigo ou volte ao site astro.com e obterá uma análise gratuita na seção "Free Horoscopes" [Horóscopos Gratuitos].

As Essências Florais do Dr. Bach

Em 1933, o Dr. Edward Bach, médico homeopata, publicou um livreto chamado *The Twelve Healers and Other Remedies.** Sua teoria era de que se a perturbação emocional que uma pessoa estivesse sentindo fosse removida, sua "doença" também desapareceria. Costumo concordar com esse tipo de pensamento, pois a maioria das doenças (exceto ser atropelado por um carro) é precedida por um evento desagradável ou por uma perturbação emocional que faz com que o corpo saia de sua sintonia. Remover o problema emocional e proporcionar alguma estabilidade à vida da pessoa, quando ela está passando por um momento difícil, não faz mal nenhum, e em alguns casos pode melhorar tanto a saúde geral, que a pessoa volta a se sentir bem.

Conhecer qual Essência Floral de Bach pode ajudar a reduzir certas preocupações e abalos dá a você e ao seu ariano mais controle sobre a vida. Recomendo muito as essências em minha prática profissional quando sinto que alguma parte do mapa da pessoa está passando por tensão, e geralmente é a Lua que precisa de ajuda. As Essências descrevem os aspectos negativos do caráter, que são focalizados durante o tratamento. Essa conscientização ajuda a inverter essas tendências, e por

---

* *Os Remédios Florais do Dr. Bach – Incluindo Cura-Te a Ti Mesmo e Os Doze Remédios*, publicado pela Editora Pensamento, São Paulo, 1990.

isso, quando nosso eu emocional está bem e confortável, podemos enfrentar o dia com mais forças.

Citei as palavras exatas do Dr. Bach para cada signo.

Para usar as Essências, pegue duas gotas do concentrado, ponha-as num copo com água e beba. Costumo recomendar colocá-las numa pequena garrafa com água para ser ingerida, pelo menos quatro vezes ao longo do dia. No caso de crianças pequenas, faça o mesmo.

Lembre-se de procurar um médico e/ou uma orientação profissional caso os sintomas não desapareçam.

Lua em Áries

Por alguma razão, incomodo-me sempre que vejo atos de injustiça e ataques à liberdade civil das pessoas. Imagino que o que escreverei no futuro seguirá essa linha. Seja ficção, seja não ficção.

– Iris Chang

Os exuberantes e assertivos sentimentos da Lua em Áries, tal como o Sol nesse signo, expressam-se de maneira poderosa e impetuosa. Sua reação visceral aos eventos é honesta, e não há dúvidas de que aquilo que sentem é algo autenticamente "do momento". Sendo um signo mais veloz, suas emoções são como uma tempestade que surge rapidamente e com a mesma presteza se vai.

Essência Floral de Bach Impatiens:

Para os que são rápidos de raciocínio e ação e que desejam que tudo seja feito sem hesitação ou demora.

Lua em Touro

Ele vai à frente e segue até a cozinha, senta-se à mesa e oferece chá e biscoitos. *"Estes são bons para molhar no chá"*, ri. *"Trazidos especialmente da França, de avião".*
– Elton John

A Lua em Touro, para os arianos, reduz a velocidade da vida e faz com que se entretenham mais com boa comida e contato físico. Os arianos com a Lua em Touro têm equilíbrio emocional e mudam de ideia lentamente. Adoram as ofertas saborosas da vida, como bons vinhos, chocolates e artigos de luxo.

Essência Floral de Bach Gentian:

> *Para os que se desencorajam facilmente. Podem progredir bem no que se refere às doenças ou questões da vida diária, mas qualquer imprevisto ou obstáculo a seu progresso gera dúvidas e logo se deprimem.*

Lua em Gêmeos

Sou um herói com pernas de covarde.
– Spike Milligan

Tendo a energia aérea e abstrata de Gêmeos como prisma que filtra suas emoções, o ariano com essa Lua costuma analisar seus sentimentos. O lado positivo disso é a clareza de seu autoconhecimento; o lado negativo é que ele pode acabar preocupado demais com isso. Às vezes, a resposta para seus problemas emocionais pode consistir simplesmente no desligamento temporário do cérebro.

Essência Floral de Bach Cerato:

Para os que não têm confiança suficiente em si mesmos para tomar as próprias decisões.

Lua em Câncer

Não dá para ser uma ótima mãe se você trabalha o tempo todo.

– Emma Thompson

Temos aqui uma dose dupla de influência lunar, pois a Lua em Câncer está em seu próprio lar zodiacal. As emoções estarão bem sintonizadas na proteção e formação dos outros, e questões maternais situam-se no alto da agenda. O risco é que essas pessoas podem ser excessivamente empáticas, ficando, por isso, com a carga das tristezas do mundo. Precisam de proteção emocional.

Essência Floral de Bach Clematis:

Alimentam esperanças de tempos melhores, quando seus ideais poderão ser realizados.

Lua em Leão

Encontre um lugar onde há alegria, e a alegria irá queimar a dor.

– Joseph Campbell

O tradicional amor leonino pelos holofotes significa que as pessoas com a Lua em Leão terão a tendência a ficar no centro das atenções. Ficam felizes com uma plateia que reconhece seus méritos, elogia-o muito e trata-o com o arquetípico tapete vermelho. Dê-lhes muitos elogios e afeto, e em troca eles vão ronronar suavemente.

Essência Floral de Bach Vervain:

> *Para aqueles que têm ideias e princípios rígidos que consideram certos.*

Lua em Virgem

Sou uma pessoa muito reservada, fechada.
– Camille Paglia

A Lua em Virgem tem uma imagem um tanto problemática – a ênfase de Virgem na ordem e na harmonia não se ajusta muito bem com nossas emoções, notoriamente incontroláveis. Como Virgem é um signo mutável, isso pode significar que as emoções serão fluidas e de difícil definição. Para o ariano, isso pode representar uma dificuldade, pois ele vai querer a ação aliada à definição. Se tiver tempo para "organizar as coisas à sua maneira", ficará feliz.

Essência Floral de Bach Centaury:

> *Sua natureza boa as conduz a fazer mais do que a sua parte do trabalho e, ao fazerem isso, negligenciam a própria missão nesta vida.*

Lua em Libra

Se descobrir no seu coração que você se importa
com alguém, terá tido sucesso.
– Maya Angelou

A energia libriana enfatiza bastante a harmonia e o equilíbrio, e dá à pessoa com a Lua em Libra uma percepção estética refinada e instintos ou "gostos" naturalmente bons. A questão das relações com os outros é um pouco mais complicada. O medo de expressar emoções que vão causar cenas difíceis significa que a Lua em Libra pode dizer uma coisa e sentir (portanto, fazer) outra em segredo. Como é o signo oposto a seu signo solar, de vez em quando podem pensar uma coisa e fazer outra... desde que consigam se decidir.

Essência Floral de Bach Scleranthus:

Para aqueles que sofrem muito por serem incapazes de decidir entre duas coisas, inclinando-se ora para uma, ora para outra.

Lua em Escorpião

Sou o único artista que já pediu que seus assistentes mantivessem
sigilo, honra e obediência, e com registro em cartório.
– Harry Houdini

Escorpião tem uma associação notória com profundezas sombrias, anseios profundos, paixões arraigadas e sentimentos intensos. Sem dúvida, sente as coisas com intensidade e paixão. Como signo fixo, ele não costuma mudar seus sentimentos com frequência. Do lado positivo, essa posição produz um caráter que não receia o medo, que, somado com o Sol em Áries, indica alguém que não costuma aceitar um "não" como resposta. Do lado negativo, pode causar paranoia e desconfiança.

Essência Floral de Bach Chicory:

Estão continuamente afirmando o que consideram errado e o fazem com prazer.

Lua em Sagitário

É melhor ter o espírito elevado, mesmo cometendo erros,
do que ter pobreza de espírito e ser prudente demais.
– Vincent Van Gogh

Com a Lua em Sagitário, as emoções são regidas pelo benevolente e animado Júpiter, o que produz uma postura confiante e positiva em relação à vida e às pessoas. Pessoas com a Lua em Sagitário sempre se reerguem e nunca perdem a fé na humanidade. Podem lançar flechas emocionais ao ar com a confiança de que mais cedo ou mais tarde acabarão chegando ao seu destino. Todavia isso pode desencadear uma situação na qual elas cometem os mesmos erros repetidas vezes. É melhor pensar antes e agir depois.

Essência Floral de Bach Agrimony:

Escondem suas preocupações por trás de seu bom humor e de suas brincadeiras e tentam suportar seu fardo com alegria.

Esta Essência aparece sob o subtítulo "Sensibilidade excessiva a influências e opiniões".

Lua em Capricórnio

Se não tivermos êxito, corremos o risco de fracassar.

– Al Gore

Capricórnio é o signo que trata da dura realidade material do mundo e, regido pelo severo Saturno, pode tornar o ariano excessivamente sério. São pessoas que podem ter uma atitude mais sombria diante de seus sentimentos ou ser muito críticas com suas emoções. Num dia ruim, a vida parece cinzenta. Num dia bom, elas perseguem o sucesso com determinação em situações nas quais outras desistiriam, e nesse processo forjam nervos de aço.

Essência Floral de Bach Mimulus:

> *Para medo de coisas terrenas: doenças, dor, acidentes, pobreza, escuro, solidão, infortúnio. Secretamente, carregam consigo medos sobre os quais não falam a ninguém.*

Lua em Aquário

Se eu decidir ser um idiota, serei um idiota por conta própria.

– Johannes Sebastian Bach

O ariano com a Lua em Aquário pode achar difícil lidar com suas emoções. A energia aquariana é aérea e dá a tendência natural a um distanciamento dos sentimentos, ou a considerá-los de forma abstrata. É pouco provável que tenham o coração aberto, e as pessoas podem considerá-las frias e imprevisíveis. Contudo para eles a liberdade é importante, e por isso eles não se incomodam com o que você possa pensar.

Essência Floral de Bach Water Violet:

Para aqueles que gostam de ficar sozinhos, independentes, que são capazes e autoconfiantes. São indiferentes e seguem o próprio caminho.

Lua em Peixes

Digo às crianças para realizarem seus sonhos no basquete, mas digo também que não devem ter apenas esse sonho.
– Kareem Abdul-Jabbar

Peixes é o mais emotivo dos signos, e, com a Lua nele, o ariano terá uma sensibilidade emocional exacerbada. Ele terá a consciência do sofrimento e o desejo de se conectar com a percepção espiritual, pode gostar de fadas, do misticismo e de todas as formas divinatórias. Mais do que os outros, precisa ficar algum tempo sozinho para se reconfigurar quando estiver estressado. Precisa também dos sonhos, que são importantes para ele.

Essência Floral de Bach Rock Rose:

Para casos em que parece não haver qualquer esperança ou quando a pessoa está muito assustada ou aterrorizada.

Capítulo 5

♈ As casas ♈

É um pouco mais difícil explicar o que é uma "casa" se você nunca montou um mapa astral. Só quando você já tiver feito mais de um mapa é que vai perceber que seus componentes podem aparecer em lugares diferentes. Esses lugares diferentes são o que chamamos de "casas". Antes, esses lugares eram chamados de "moradas", pois são o "lar" de cada planeta.

Em nosso exemplo, Samuel tinha o Sol na quinta casa.

Essa posição é calculada por programas de computador. Se ele tivesse nascido algumas horas antes, o Sol estaria na quarta casa, e assim por diante. Quanto mais avançado o horário de nascimento, mais adiante no sentido horário estará o planeta na roda do mapa.

Eu nasci às 16h, e por isso meu Sol pisciano está na sétima casa. Se tivesse nascido às 6h, ele estaria na primeira casa.

Portanto a posição de um planeta nas casas é determinada pela hora de nascimento. Nada mais. Só pela hora.

Dá para saber se um mapa está correto imaginando que a linha horizontal que vai da esquerda para a direita, dissecando o mapa, é o horizonte. Portanto se o seu ariano nasceu durante o dia, seu Sol *deve* estar situado acima do horizonte, na parte superior do mapa... pois o Sol estaria sobre nossa cabeça.

Se ele nasceu à noite, após o ocaso, o Sol deve estar em uma das casas abaixo do horizonte, pois obviamente o Sol não estaria brilhando na hora do nascimento.

Não se preocupe se isso não faz muito sentido, pois você só precisa saber que o Sol pode estar em qualquer uma das doze casas.

Procure o símbolo ⊙ no mapa que você montou e veja em qual seção numerada ele está; depois, leia a descrição a seguir.

Obviamente, você terá de ler apenas a descrição relacionada com o mapa que você calculou.

O que *significa* ter o Sol nesta ou naquela posição? Bem, pensamos em cada casa como sendo um pouco parecida com um signo do Zodíaco. Assim, a primeira casa é parecida com o signo de Áries, e assim por diante. Ter o Sol na primeira casa é totalmente diferente de tê-lo na sétima casa, pois a primeira trata do "eu" e a sétima lida com os "outros".

A posição do Sol modifica sua expressão. Ela não altera "quem" a pessoa é; ela ainda é motivada pelas qualidades arianas de que falamos, mas estas são expressadas de maneira diferente.

É por isso que o mapa astral pessoal torna a Astrologia individualizada. Como são doze casas, e estamos apenas usando a posição do Sol (num mapa completo, você levaria em conta pelo menos outros oito planetas e a Lua, e estaria entendendo tudo!), mantivemos o livro tão simples quanto possível.

Conforme mencionei, meu Sol está no signo de Peixes, na sétima casa, mas minha mãe (de quem falei em *Como se Relacionar com um Aquariano*) tem o Sol no signo de Aquário, na nona casa. Nós duas temos a Lua em Gêmeos, e por isso adoramos conversar, mas "somos" diferentes na vida.

O lugar onde seu Sol está é aquele no qual você se sente "em casa". Onde você mais gosta de concentrar a sua vida.

Se o seu Sol está na terceira casa, você vai gostar de escrever, de conversar, de ensinar ou de fazer qualquer coisa associada com a terceira casa, mas se sua esposa ou seu namorado tem o Sol na oitava casa, vai querer manter certa reserva a seu próprio respeito e vai gostar de se envolver profundamente nas emoções.

Existe mais do que um "sistema de casas". Eu uso as Casas Iguais, mas a maioria das pessoas usa o sistema Placidus; por isso, a menos que você monte seu mapa usando o sistema de Casas Iguais, as interpretações serão diferentes. Devo lembrar que não existe um acordo entre astrólogos quanto ao sistema "correto". Você terá de descobrir aquele que mais lhe agrada.

A Primeira Casa, Casa da Personalidade

Vivemos no canto do mundo, e por isso vivemos no limite. Os kiwis *sempre vão sacrificar dinheiro e segurança pela aventura e pelo desafio.**

– Lucy Lawless

Esta é uma posição bastante significativa para o Sol, pois indica que a pessoa nasceu perto da aurora. Proporciona uma visão positiva e alegre da vida e indica uma pessoa ágil e ativa. Como este mapa é dominado pelo Sol, ajuda a pessoa a ser mais con-

* Atriz neozelandesa (daí a referência ao kiwi, ave-símbolo do país) conhecida por seu papel como Xena, a Princesa Guerreira. (N. do T.)

fiante, mais segura de si e capaz de fazer as coisas de maneira rápida e firme.

A Segunda Casa, Casa do Dinheiro, de Bens Materiais e da Autoestima

Durante um bom tempo, o capitão Kirk foi
uma fonte de prazer e de renda.
– William Shatner

Com o Sol em Áries na segunda casa, o caráter básico terá uma materialidade terrena. Ela pode se manifestar como prazer e orgulho com relação às posses pessoais. Vênus rege esta casa, e por isso a combinação de prazer na materialidade e na sensualidade terrena significa que a pessoa pode se sentir atraída pelo luxo e pela complacência, alguém que certamente vai valorizar aquilo que pode comprar e segurar em suas mãos.

A Terceira Casa, Casa da Comunicação e de Viagens Curtas

Uma das maneiras pelas quais encontrei significado na vida
foi acreditar que todos temos um eu mais profundo ou
um eu central que guia, proporciona e regula
nosso crescimento e desenvolvimento.
– Howard Sasportas

A mente e a comunicação aparecem nessa posição. Pode tornar o indivíduo um pensador e comunicador natural, até meio intelectual. O desenvolvimento da mente será importante, bem como os estudos acadêmicos superiores. A contribuição de Mercúrio (que rege a casa) incorpora viagens e mobilidade, e a pessoa se divertirá muito percorrendo as estradas e os atalhos da vida.

A Quarta Casa, Casa do Lar, da Família e das Raízes

O ponto importante e que enfatizo sempre é que é impossível tentar imaginar o futuro se o passado não for compreendido.

– Dane Rudhyar

O Sol em Áries na quarta casa enfatiza raízes, segurança e família, bem como a compreensão do relacionamento com os pais, especialmente com a mãe (pois esta casa é regida pela Lua, a eterna mãe). Essas pessoas terão uma inclinação pela família, o que pode encontrar expressão de maneiras menos óbvias – tratando amigos ou colegas como se fossem parte de uma grande família. O passado também é importante.

A Quinta Casa, Casa da Criatividade e do Romance

Com o olhar aquietado pelo poder da harmonia,
e o profundo poder da alegria, vemos a vida nas coisas.

– William Wordsworth

Esta é uma colocação feliz, pois a quinta casa é o lar da criatividade e do romance. Ser o centro das atenções é um toque extra. Tapete vermelho, muitos elogios e reconhecimento mantêm esse Sol satisfeito. Ser artístico e criativo, ou dar à luz filhos ou boas ideias são expressões dessa casa.

A Sexta Casa, Casa do Trabalho e da Saúde

No cenário da extinção, a precisão se aproxima da divindade.
– Samuel Beckett

A sexta casa tem foco em tudo aquilo que diz respeito à saúde. É também nossa atividade, nosso trabalho. Nesta casa, o Sol em Áries vai querer estar bem, com saúde e organizado. Não raro, essas pessoas trabalham em áreas como saúde e cura, ou, no mínimo, preocupam-se com o seu bem-estar e o dos demais. Não são propensas ao desleixo ou à fraqueza.

A Sétima Casa, Casa dos Relacionamentos e do Casamento

O casamento exige um talento especial, como a arte de atuar.
A monogamia exige a genialidade.
– Warren Beatty

Nesta casa, o Sol em Áries vai querer compartilhar sua vida com alguém significativo. Ser solteiro não resolve. Enquanto esse relacionamento íntimo não estiver organizado, a vida parecerá fria. Quando estiver com alguém, a vida adquirirá novo sentido. Haverá um desejo intenso de se unir com alguém "como se fossem um só", o que pode conflitar com o desejo ariano de "liderar". Eles se sentem melhor com um anel no dedo e "aquela pessoa" do lado.

A Oitava Casa, Casa da Força Vital no Nascimento, no Sexo, na Morte e no Pós-Vida

Antes de tudo, você precisa estar de acordo
com seu próprio espírito e com seu próprio gosto. Depois, precisa
reservar um tempo para expressar com coragem todos
os seus pensamentos sobre o assunto em questão.
Finalmente, você precisa dizer tudo de maneira simples,
tendo não o charme em mente, mas a convicção.
– Francis Ponge

Quem tem o Sol na oitava casa sente as coisas profundamente. A intensidade desta casa, aliada ao Sol em Áries, torna o ariano um indivíduo de caráter forte, que não se desvia de sua missão de vida. O tédio não está no cardápio! A capacidade de se concentrar exclusivamente em uma coisa de cada vez pode trazer grandes resultados. A vida e a morte são vistas como períodos de transição.

A Nona Casa, Casa da Filosofia e de Viagens Longas

Quando sinto uma necessidade terrível de – preciso dizer a palavra?
– religião, saio de casa e pinto as estrelas.
– Vincent Van Gogh

Ainda que o Sol em Áries na nona casa possa filosofar sobre o verdadeiro sentido da vida, tudo estará bem. Países distantes, viagens longas e o interesse por outras culturas serão a tônica. Esta casa está associada às viagens – quanto mais distantes os destinos, melhor – e ao "conhecimento", seja ele espiritual, científico ou filosófico. Essas pessoas gostam de culturas de todos os tipos e adoram viajar, mental e fisicamente. Mantenha os passaportes atualizados.

A Décima Casa, Casa da Identidade Social e da Carreira

Devemos levar a sério nossas responsabilidades, e não a nós mesmos.

– Peter Ustinov

O Sol na décima casa quer deixar sua marca no mundo. Sua motivação será influenciar tantas pessoas quantas puder a atingir o Nirvana, onde ou como ele possa se manifestar. Como Saturno rege esta casa, o progresso pode ser mais lento, mas com propósito e determinação esse nativo poderá chegar aonde almejar.

A Décima Primeira Casa, Casa da Vida Social e da Amizade

Não sou um filantropo. Sinto-me envergonhado quando me classificam como humanitário. Simplesmente participo das atividades em que acredito.

– Gregory Peck

Com o Sol na décima primeira casa, o ariano terá conexões sociais razoavelmente extensas e vai gostar de se misturar com os outros. Essa satisfação no contato com as pessoas pode se mesclar com motivações altruístas, como obras de caridade ou coisas do gênero. Pode ter um caráter humanitário, humano, encontrando prazer em grupos sociais que beneficiam outras pessoas. Provavelmente, são pessoas que evitam a intimidade de relacionamentos mais próximos.

A Décima Segunda Casa, Casa da Espiritualidade

Às vezes, chego a preferir que as pessoas me tomem anos de vida a me tomarem um momento.

– Pearl Bailey

Ter o Sol na décima segunda casa implica uma faceta sensível, sonhadora e reclusa. É bem provável que essas pessoas se sintam melhor nos bastidores, fora do alcance dos holofotes. Contudo, se conseguirem se recolher de vez em quando, podem atingir a elevação espiritual e a união mística.

Capítulo 6

♈ Os problemas ♈

Há uma fala no filme em que ele rosna "Ninguém me diz o que fazer". Foi exatamente o que senti ao longo da vida.

– Marlon Brando

Agora que conhecemos um pouco melhor a psique ariana e sabemos montar um mapa astral, vamos aprender a superar quaisquer problemas que você possa ter com a pessoa de Áries de sua vida. A lista não esgota o assunto, mas abrange algumas circunstâncias que você pode ter dificuldade para solucionar.

São coisas que ouço em meu consultório, pois meus clientes não me procuram quando suas vidas estão indo bem. Não, as consultas são marcadas quando pessoas se separam, tragédias acontecem, confusões ocorrem e conflitos são vivenciados.

O fato de eu ter mais de trinta anos de experiência me ajuda a aconselhar meus clientes com respostas práticas e soluções funcionais.

Estou ficando cansada! Não consigo acompanhar esse ritmo! Meu ariano está correndo comigo de um lado para o outro!

Infelizmente, esta é uma queixa comum de pessoas que não entendem bem o signo de Áries. Se o seu signo também for de Fogo, como Leão ou Sagitário, isso não deve incomodar tanto, pois você já faz tudo depressa, organiza isto, faz aquilo, vai ali num dia e lá no dia seguinte.

Se o seu signo for de Ar – Gêmeos, Libra ou Aquário –, é mais fácil acompanhar esse ritmo, e se ficar sem fôlego, certamente você dirá a Áries que se cansou. Pode até ter uma "discussão" a respeito.

Mas se o seu signo for de Água, ou pior, de Terra, você vai se desgastar tanto que não conseguirá nem reclamar. E, quando reclamar, vai dizer tudo errado...

Só existe um modo de lidar com isso.

Você terá de usar toda a franqueza e dizer "Prefiro reduzir o ritmo. Nos vemos mais tarde!".

Você não vai conseguir viajar na velocidade de Áries; nem tente. Você pode sofrer um acidente.

Uma de minhas irmãs namorou um cavalheiro ariano. Na maior parte do tempo, ele era exatamente isto: um cavalheiro. Até o dia alegre e ensolarado em que fomos visitadas por uma parente distante que morava no Texas e era motorista de caminhão.

Essa pessoa não só dirigia um caminhão como era uma *mulher* dirigindo um caminhão.

A sirene do alarme começou a soar na minha cabeça logo depois das apresentações, pois percebi que estávamos prestes a ver uma "competição".

O Sr. Áries meteu na cabeça a ideia de que "devia mostrar" à Srta. Motorista de Caminhão que nenhuma mulher poderia dirigir melhor do que ele. Em casa, ele foi gentil e educado, mas no instante em que se pôs atrás do volante, com a Srta. Motorista de Caminhão ao seu lado, ele zuniu pela estrada numa velocidade feroz. "Meu Deus", pensei, com minha vida passando rapidamente diante dos meus olhos. "Melhor ver se meu cinto de segurança funciona" (o que fiz, felizmente).

Chegamos a uma parte montanhosa de Bath e o Sr. Áries despencou pela colina a 90 quilômetros por hora. O limite de velocidade era 80 e eu estava rezando para sermos detidos por algum guarda. A Srta. Motorista de Caminhão estava calma e fria como um pepino, mas o Sr. Áries estava virando o volante para lá e para cá, e o carro derrapava pelas curvas enquanto descíamos a colina, numa estrada bem sinuosa.

Minha irmã e eu estávamos sentadas no banco de trás, e, justamente quando eu estava pensando num modo de dizer ao Sr. Áries que deveríamos ir mais devagar, minha irmã me lançou um olhar do tipo "Não interfira!"... e chegamos ao nosso destino.

Embora tivéssemos saído para almoçar, percebi que não estava com humor para comer nada...

Mais tarde, descobri que a Srta. Motorista de Caminhão é de Escorpião, o que explica a razão de ela ter se mantido tão fria ao lado de um motorista alucinado.

Nunca mais. Daquele dia em diante, eu mesma dirijo até os lugares a que preciso ir... meu signo é de Água.

Eis o que Diane Lang, blogueira, tem a dizer sobre Áries e a velocidade. Ela é de um signo equilibrado, Libra:

"Estou com Áries na cabeça e quero contar algumas coisas que tenho visto acontecendo com os arianos da minha família. A intensa

influência ariana parece se manifestar não apenas com intensidade, mas COM RAPIDEZ!

"Meu marido nasceu sob um céu repleto de planetas em Áries. Ele tem o Sol, a Lua, Mercúrio e Júpiter em Áries, além do Ascendente no começo de Áries.

Na semana passada, visitamos nossa neta – que tem a Lua em Áries – que estava 'resfriada'. Meu marido começou a apresentar sintomas na terça-feira, perdeu a voz na quarta, foi para a cama no começo da noite de quarta com uma febre leve, dormiu até o meio-dia da quinta e voltou a trabalhar. Ele deixou a febre seguir seu curso e queimou o vírus... uma coisa bem ariana".

Uma outra irmã está com sua paixão, um ariano, desde que ambos tinham 13 anos. Ela tem a Lua em Áries; ele, o Sol. Um casamento feito no céu!

É triste, mas eles nunca vão se casar, pois ambos têm síndrome de Down e minha irmã é doente terminal, com demência.

Quando ele era menor, o jovem Áries gostava de trens e saía de casa para ir até a estação – sem medo nenhum – para ver as composições favoritas. Ele subia muros, corria pelo jardim e fazia todos os truques, o que deixava sua mãe virginiana desesperada. Gostaria de conhecer a Astrologia naquela época; eu teria apresentado algumas soluções.

Meu ariano quer que nos casemos ontem; amanhã não é suficientemente cedo.

Se isto está acontecendo com você, preciso recomendar cautela. Embora seja bom para um ariano percorrer boa parte da vida em alta velocidade, geralmente os casamentos acelerados são a receita certa para o desastre.

Seu ariano pode amar você com sinceridade, louca e profundamente, mas, se tiver visto você cortando as unhas, escovando os dentes ou aparecendo de pijamas às 8 da manhã, vai sumir rapidamente e procurar outra companhia.

Esta é uma situação na qual um leve toque no freio do relacionamento vai fazer MUITO bem. E desacelerar, nesse tipo de circunstância, é a melhor solução, e explico por quê.

Manter seu ariano esperando pelo amor é BOM. Seu ariano precisa se esforçar pelo seu amor, e não recebê-lo de bandeja, pronto e acabado.

Não.

Ele vai se sentir melhor se tiver de cruzar quilômetros de rios e mares para ver você, viajar por montanhas e córregos, dirigir milhares de quilômetros pelo deserto ou pelas pradarias para conquistar seu amor.

Ele não vai querer encontrar o amor nos fundos do jardim ou na sala de visitas. A menos que tenha alguns planetas em Câncer, o ariano médio vai gostar do desafio da *conquista* do seu amor. E isso se aplica tanto a homens quanto a mulheres.

Se uma ariana decidiu que você será o parceiro dela pela vida toda, pode até chover canivete, mas ela não se deterá enquanto não tiver satisfeito esse desejo. E quanto mais desafiador o desejo, mais ela o almejará.

Preciso contar uma historinha. Conheço um sujeito que nasceu numa família católica fervorosa, e ele começou a namorar sua amada quando estavam na faculdade. Passaram-se alguns anos e eles se assentaram. Então, a Srta. Áries decidiu que "o filho e herdeiro" seria seu marido, e anunciou o noivado. Bem, ambos o anunciaram, mas a Srta. Áries contou para a família *toda*, e por isso não havia como voltar atrás.

O futuro sogro ficou horrorizado, já que este era seu único filho, e herdaria a catolicidade da família... só que a Srta. Áries era ateia declarada.

O pai se opôs. Veementemente. E regularmente: "Filho meu não vai se casar com mulher que não é católica".

As linhas de combate foram traçadas. Reuniões foram planejadas. O pai fez longas viagens de carro para dissuadir seu único filho de se casar com aquela namorada.

A Srta. Áries se manteve firme.

O casamento aconteceu. Ninguém recuou, e, anos depois, agora que diversos membros mais velhos das duas famílias morreram, o fato parece ter pouca importância.

O que eu queria mostrar é que a Srta. Áries *não* cedeu.

Ela se manteve firme, e não haveria como fazê-la mudar de ideia. E, mais de quatro décadas depois, chego a pensar que ela teria largado "o filho e herdeiro" se a família dele tivesse concordado 110% com a união e a recebesse de braços abertos. O desafio não teria existido e os "espólios de guerra" teriam sido menos satisfatórios.

Socorro! Meu ariano odeia seu (sua)/meu (minha) mãe, pai, irmão, irmã, primo, chefe, vizinho... e isso está transformando sua/minha vida num inferno.

Tem certeza de que é ódio? Talvez seja o fato de seu ariano não gostar de alguma coisa que essa pessoa está "fazendo", e não do que ela "é".

É raro um ariano ter alguma coisa contra alguém só por conta de seu temperamento ou de algum defeito de personalidade. O problema começa se os valores, as ações ou os ideais da pessoa não se alinharem com os do ariano. Portanto é preciso reavaliar a situação.

O parente/amigo/vizinho disse/fez alguma coisa que vai contra a visão de vida do ariano?

Lembre-se do que falamos ao comentar a necessidade de validação dos arianos para sua existência. Será que você não percebeu algum ponto no qual essa pessoa concorda ou discorda de seu ariano?

Você avaliou a questão do ponto de vista dessa pessoa?

Talvez você precise adotar a postura equilibrada e justa de Libra diante da situação, mas posso garantir que seu ariano vai querer "ter razão", e que a outra pessoa também vai querer isso. É mais uma questão de ideias do que de personalidade.

Do mesmo modo, se o seu parente/amigo/vizinho estivesse sofrendo um ataque de *terceiros*, provavelmente seu ariano lutaria por sua causa, em vez de continuar a se opor a essa pessoa.

Como Karen, a terapeuta de que falamos antes, gosta de dizer:

> *"Não se esqueça do meu ditado – que também é o do meu pai ariano: 'Tenho muitos defeitos, mas estar errado não é um deles'."*

Basta aceitar o fato de que seu ariano não está errado, e tampouco o parente/amigo/vizinho, e tente não pôr mais lenha na fogueira provocando o ariano. Esta é uma daquelas ocasiões em que ignorar a situação será melhor para todos. Ignorá-la vai tirar o fogo da situação e fará com que seu ariano não queira fomentar o estado de beligerância.

Meu ariano tem um temperamento difícil. Devo comentar isso com ele?
Isso vai depender: a) do seu signo, e b) de você também tem um temperamento difícil.

Nesse caso, não há acordo. OU você lhe *diz* (não estou falando em *pedir*) para diminuir os acessos, ou você se afasta. OU ENTÃO concorda que ele só se exalte em certas circunstâncias, mantendo o acordo.

A atriz Emma Thompson, ariana, admite que tem um temperamento difícil:

> *"E, depois que perco a paciência, tenho dificuldade para me perdoar. Fico achando que fracassei. Posso ficar calma numa crise, diante da morte ou de coisas que me magoam muito. Não fico histérica, o que pode ser masoquismo da minha parte".*

Você vai encontrar essa característica na maioria dos arianos. Numa crise, eles se mostram frios e controlados, mas, se perdem a chave do carro, não conseguem completar uma ligação ou permanecem muito tempo numa fila, ficam irritados.

Se o seu ariano tem um temperamento difícil e você acha difícil aceitar isso, descubra o signo lunar dele; depois, acompanhe o ciclo mensal da Lua e, quando a Lua "dele" aparecer, o que vai durar dois dias por mês, fique longe, saia de casa ou não entre muito em contato com ele.

Se ele começar, diga-lhe que, a menos que se acalme AGORA MESMO (e não mais tarde ou amanhã, pois os nervos já estarão mais calmos), você vai sair e **não vai voltar mais**.

Será preciso manter-se firme e fiel ao que disser; do contrário, seu ariano vai perceber a sua falta de determinação e continuará a atormentar você.

Seja firme!

Meu ariano está envolvido com um novo projeto e quer o meu apoio, mas, do meu ponto de vista, parece que isso não vai dar certo.

Se o seu ariano quer "fazer" alguma coisa, nem perca seu precioso tempo e sua energia discordando.

Poppy diz o que a entusiasma e a anima a agir:

> *"Pode ser um novo desafio, uma coisa diferente, aprender algo novo, ajudar alguém que está enfrentando dificuldades – eu* tenho *de me envolver!"*

Eis a palavra-chave: "desafio". Áries gosta de um bom desafio. Não o prive disso.

Nem todos os arianos desejam que as pessoas se comprometam totalmente com eles; o que eles querem é o seu apoio. E você pode expor a questão da seguinte maneira:

Eu não acho, na minha humilde opinião, que esse projeto/essa nova carreira/esse plano de marketing/essa venda/mudança/oportunidade vá funcionar, mas apoio você, ariano, em sua *arianidade,* com todo o amor que tenho para dar...

E não vá piorar a coisa dizendo "Isso vai acabar em choradeira". Pode ser, mas serão suas lágrimas, não as dele. O ariano não liga para cometer erros. Ele não gosta é de ser impedido de cometer erros pelas pessoas que ele vai magoar, afastar, esgotar, fazer adoecer, ou até, Deus nos livre, "decepcionar".

Perguntei a Elaine como era a sua necessidade de apoio:

> *"Ainda precisamos de reforço, de nos sentirmos amados e em segurança. Não tente abafar ambições positivas. Nunca diga 'Você não pode fazer isso' – a menos que seja alguma coisa ilegal, é lógico".*

"E por que temos compreendido mal os arianos?", perguntei.

> *"Nós, arianos, buscamos nossa própria identidade. Às vezes, podemos parecer arrogantes, mas isso é porque estamos experimentando coisas novas e queremos ter orgulho em ir em frente, experimentando chapéus diferentes até encontrarmos aquele que serve direitinho. Deixem-nos aprender sozinhos. Deixem-nos descobrir que às vezes podemos nos queimar, mas que isso faz parte do processo. Aprendemos com os nossos erros. Deixem-nos ser o que somos: exploradores."*

Áries prefere fracassar a não tentar da melhor maneira possível. Conheço uma ariana muito amável que queria ter um filho. Ela teve vários abortos, teve câncer e se recuperou, e seu marido não se importava se iriam ter mais filhos ou não. Ela queria outro filho e ele a apoiou...

Ela engravidou e perdeu o bebê. Engravidou novamente e perdeu outro bebê. Engravidou mais uma vez e teve sorte, e o bebê nasceu e cresceu feliz e saudável. E então ela "tentou" novamente.

Quatro gravidezes resultaram em abortos precoces. Ela procurou um terapeuta holístico para falar de sua saúde e se recusou a discutir com ele o fato de ter perdido tantos bebês. Ele quis explorar sua determinação de "tentar" ter mais um filho apesar das estatísticas negativas. Ela só queria resolver sua enxaqueca, por isso ele se aborreceu e ela procurou outro terapeuta.

Não desperdice seu tempo ou o do ariano quando ele tem um projeto em vista. Deixe que ele mesmo descubra como são as coisas. Assim, no longo prazo, todos ficarão contentes.

Capítulo 7

♈ As soluções ♈

Se você levar em consideração aquilo que já falamos a respeito de Áries, não será necessário ler este capítulo. Contudo eu o escrevi para enfatizar que, embora seu ariano seja um ariano, a influência dos outros signos em seu mapa vai modificar e colorir o modo como ele receberá a ajuda que você lhe oferecer.

Por exemplo, se a pessoa tem muitos pontos em Câncer em seu mapa, vai gostar de abraços, toques delicados e gentilezas, mesmo tendo o Sol em Áries.

Portanto eis algumas soluções fáceis para seu ariano, caso ele esteja enfrentando um momento difícil e precise de ajuda.

Ascendente ou Lua em Áries

Só existe um meio de ajudar esta combinação: fazer alguma atividade física e/ou esportiva. Pegue seus tênis de corrida ou a sacola de esportes, encontre-se com o ariano e leve-o para despejar seus sentimentos na quadra de tênis ou de basquete, no campo de futebol ou em algum lugar onde se pode movimentar o corpo. Se quiser que ele se sinta melhor, não se preocupe em conversar; a solução necessária é AÇÃO. Evite atividades que ponham vocês em risco; portanto nem pense numa sessão de esgrima ou de boxe; você corre o risco de ser alvo de sentimentos estressantes!

Ascendente ou Lua em Touro

As energias da combinação Áries/Touro visam dar a sensação de segurança e conforto. Combine uma data e leve o Áries/Touro para fazer uma bela refeição ou, no mínimo, cozinhe para ele. Tire o pé do acelerador e acompanhe sua linguagem corporal. Ofereça chocolates e bons vinhos, deixe-o bem relaxado. Se você sabe fazer massagens, será a salvação dele; se não, contrate alguém que consiga dispersar essas energias angustiantes com óleos perfumados e movimentos repousantes. O corpo precisa ser bem tratado, e por isso é necessário que o ariano respire profundamente e receba contato físico. A mente pode ser tratada mais tarde.

Ascendente ou Lua em Gêmeos

Neste caso, você terá de prestar atenção e ficar com as orelhas em pé. Ouça bem cada palavra que ele disser. Um Áries/Gêmeos precisa se sentir ouvido e compreendido. Se você fizer um resumo daquilo que ele disser, estará pisando em terreno sólido. Talvez você consiga fazer com que escreva como está se sentindo, pois ele estará tão acelerado fazendo perguntas, comentários, concordando, reclamando, que você pode se perder no meio do processo. Depois que tiver escrito o máximo que puder, mude de assunto e faça alguma coisa completamente diferente, como sair para caminhar ou encontrar-se com outros amigos.

Ascendente ou Lua em Câncer

Pessoas com a combinação Áries/Câncer vão querer *sentir* suas emoções. Na verdade, as emoções as dominam, o que as torna um pouco chorosas. Pegue os lenços e copie sua linguagem corporal; depois que essa pessoa chorar um mar de lágrimas, envolva-a num cobertor macio e aconchegante e acomode-a no sofá. Escute suas palavras com atenção e tente perceber o que há por trás do que ela está dizendo; sintonize-se com seus sentimentos, que, nesse momento, serão como uma onda, avassaladora e úmida. Em pouco tempo, a onda vai se retrair e ela vai voltar ao normal. Abraços! Já falei nos abraços? Eles serão necessários, e em abundância, quando a pessoa de Áries/Câncer ficar triste; portanto acolha-a e abrace-a até a dor sumir.

Ascendente ou Lua em Leão

NÃO ignore um Áries/Leão. Esses nativos querem reconhecimento e inclusão. Eles correm de um lado para o outro, suspirando, fazendo drama e gritando "Cortem suas cabeças!" ou coisas similarmente dramáticas. Ignore o drama, mas não ignore a pessoa. Você poderia perguntar "Como posso ajudá-lo AGORA?" e fazer o que ele sugerir, desde que esteja dentro da lei e seja viável. Concorde quando ele disser que a vida é injusta e estenda o tapete vermelho com o tratamento especial e personalizado. Repita o nome dele mais de uma vez, num tom amigável. Isso sempre funciona bem, e assinta com a cabeça ao concordar com seus sentimentos, que certamente estarão aflorando numa velocidade alarmante. Faça com que ele respire bem fundo... e solte o ar lentamente, para que seu lado alegre volte em pouco tempo.

Ascendente ou Lua em Virgem

No caso de pessoas com a combinação Áries/Virgem, você vai precisar exalar calma e equilíbrio. Lembre-se da essência floral *Centaury* e sirva duas gotas dela com água antes de tentar qualquer outra forma de ajuda. Elas precisam desligar o cérebro durante algum tempo. Os arianos têm corpos ativos e rápidos; junte-os à necessidade de precisão de Virgem e tudo que eles vão conseguir pensar é como "fazer" milhões de coisas a respeito. No pior cenário, vão parecer coelhos iluminados pelos faróis do carro, congelados numa ideia recorrente da qual terão dificuldade para se livrar. Música relaxante, *tai chi*, exercícios físicos suaves, comida decente e muito sono vão trazê-los perfeitamente de volta à Terra.

Ascendente ou Lua em Libra

A maioria das combinações Áries/Libra preocupa-se com relacionamentos... ou com "O" relacionamento. Se ele se afastou da pessoa próxima e querida, você vai encontrar alguém choroso, inquisitivo, que precisa ser tratado com cuidado. Antes de tudo, não lhe dê opções. Esta é, afinal, a pessoa que estará fazendo a escolha. Vir ou Ir? Ficar ou Sair? Certo ou Errado? Ajude no processo não lhe dando escolhas e leve-o para um lugar bonito e apresentável, onde pode equilibrar melhor as ideias. Não o corrija e nem entre em discussões, não fale demais; deixe que o lugar que você escolheu o acalme o suficiente para que possa se reconfigurar e se sentir centrado. Yoga, massagem suave, música leve e melodiosa – como harpa ou algo igualmente laxante – também podem ajudar.

Ascendente ou Lua em Escorpião

Afaste-se! Não fique perto demais quando Áries/Escorpião estiver se desmontando. Esse nativo estará consumido pela paixão de sentimentos profundos, penosos, dolorosos, e a vingança pode estar nos planos. Saiba que ele vai querer resolver a questão com soluções drásticas, dolorosas. Se você pensar na cor de sangue escuro, terá uma noção de como ele está se sentindo. É péssimo! É horrível! Ele quer pôr um FIM nisso tudo (o que quer que esteja acontecendo com ele).

Faça com que escreva uma carta para a pessoa ou para o problema. Diga-lhe para incluir TODOS os seus sentimentos no texto... depois, faça uma fogueira ou acenda uma vela e observe em segurança a dor e a angústia sendo consumidas pelas chamas. Seja firme. Esteja "presente". Você não pode fazer muita coisa além de esperar que os sentimentos se abrandem, como acontece com todos os sentimentos.

Ascendente ou Lua em Sagitário

É difícil fazer com que um Áries/Sagitário admita que tem um problema. Geralmente, os "outros" é que têm um problema, e "eles" terão de ser o foco da solução. Consiga alguns textos antigos. A Bíblia ou outros textos espirituais positivos escritos por um guru ou lama predileto, ou por outro líder espiritual, e pegue emprestado ou compre o livro para ele. Programe uma viagem para um lugar distante e exótico, onde ele possa "escapar" do cotidiano que causou o problema. Se as finanças estiverem apertadas, leve-o para um restaurante local de comida exótica ou converse sobre lugares distantes, diferentes. O McDonald's ou o *delivery* mais próximo não serão a solução. Ele precisa estar rodeado de pessoas e conversas *diferentes* das suas para que se sinta à vontade para ter os pensamentos, os sentimentos e as opiniões que experimentado. Se ele gosta de esportes, leve-o para assistir a um jogo, qualquer coisa diferente daquilo que esteja fazendo no momento. Mudanças, mudanças exóticas, são o máximo.

Ascendente ou Lua em Capricórnio

Como Capricórnio é regido por Saturno e adora soluções sérias e sensatas, um Áries/Capricórnio vai querer o conselho e a orientação de alguém mais velho e, espera-se, mais sábio do que ele. Sua principal preocupação será com "o futuro", e ele pode achar que arruinou suas chances ou perdeu uma boa oportunidade. Se você puder encontrar alguém que "já esteve lá e fez aquilo", ele vai começar a se acalmar. Naturalmente, você pode fazer ainda melhor e ajudá-lo a pesquisar sua árvore genealógica, pois Áries/Capricórnio adora aquilo que é antigo, testado e aprovado. Uma breve visita a uma construção histórica ou a ida a um concerto tradicional também podem ajudar... e NÃO tente apressar a recuperação. Ele precisa de tempo e de espaço.

Ascendente ou Lua em Aquário

Se você puder imaginar a solução mais estranha e inusitada para o problema, terá encontrado o elixir da felicidade. Áries/Aquário gosta de tudo aquilo que podemos definir como "incomum". Fique longe das ideias convencionais; procure o que é diferente e sem regras, e terá o mais feliz dos nativos Áries/

Aquário do planeta. Fiquem acordados até tarde discutindo a Vida, o Universo, e tudo irá bem. Você pode levá-lo para ver artistas de rua, para conhecer estudantes de arte ou pessoas criando um evento ecológico. Você pode ligá-lo a um simulador para que possa ter uma experiência maluca ou jogar um jogo de computador sem regras preestabelecidas. Tudo que não for normal, regular ou baseado na Terra. Ele quer se sentir ligado a alguma consciência humana que muda a vida das pessoas.

Ascendente ou Lua em Peixes

Pegue o Tarô dos Anjos, acenda um incenso ou algumas velas. Ponha música suave, afaste-se da "vida" e dos "humanos" e entre em contato com a vastidão exterior de tudo aquilo que é cósmico e divino. Qualquer forma de adivinhação será bem-vinda. Ele estará preocupado com a próxima vida e o *karma*; assegure-lhe de que isso está bem resolvido. A solução espiritual precisa ser crível e não deve ser fantástica demais. Mantenha seus pés no chão, mas permita que sua mente vagueie por lugares onde nada machuca e ninguém o interrompe. Meditação, hipnoterapia, relaxamento, anjos, fadas, círculos de pedra, uma peregrinação – todas essas soluções são boas, e, no mínimo, um longo banho perfumado com uma grande placa "Não perturbe" na porta!

Capítulo 8

♈ Táticas de apreciação ♈

Agora que você conhece um pouco melhor o signo solar de Áries, vamos abordar as várias maneiras pelas quais esse signo pode se manifestar em sua vida. Pode ser um namorado ou uma namorada de Áries, um chefe ou um parente, e você precisa saber como essa energia positiva e exploradora vai se manifestar.

Seu Filho Ariano

O que é mais legal com as crianças é que elas expressam emoção. Elas não se seguram. Se querem chorar, choram, e se estão de bom humor, estão de bom humor.

– Eddie Murphy

A frase acima é de Eddie Murphy, que é de Áries e foi criança um dia, como todos nós. Creio que ele resume perfeitamente o que significa ser uma criança de Áries.

Elas têm emoções.

O que elas não têm, e talvez nunca tenham, é um mecanismo de autopercepção. Elas berram, gritam e têm chiliques, a menos que você perceba exatamente o que estão sentindo

AGORA. Não amanhã, não o que fizeram ou disseram ontem (isso faz muito tempo)... Não, você precisa "estar" do lado delas quando estiverem lhe dizendo como estão se sentindo.

"Estar" mesmo.

Bem, isso pode ser fácil quando seu pacotinho de alegria ainda é um bebê de colo. Imaginamos que os bebês sejam assim, mas quando ele for um pouco maior e frequentar a escola, terá de aprender a repartir ("Repartir? O que é isso?!"), porque, se não o fizer, será atormentado pelos colegas, repreendido pelos professores ou excluído do grupo – deu para entender, não deu?

Diga a seus filhos de Áries, desde cedo, que você os ama tal como são. Eles não precisam mudar para receber o seu amor. Eles não precisam "conquistá-lo" ou "brigar" por ele; seu amor existe, assim como o vento, a chuva e o Sol.

Além disso, ensine a seus pequenos arianos que nem todos são como eles. Que as pessoas têm ideias, pensamentos e opiniões que podem ser completamente diferentes das deles, e que ISSO NÃO IMPORTA. O que importa é o que eles fazem, não o que eles pensam.

Seu filho de Áries será o primeiro na escola a enfrentar os valentões ou os professores rudes. Imagino que quando Oliver Twist dizia "Por favor, senhor, posso ganhar mais um pouco?", era uma voz ariana falando, pois ele não se assustava com o Sr. Bumble e queria ajudar os outros órfãos.

Poppy descreve o lado mais familiar das crianças de Áries em resposta à minha pergunta, "Do que uma criança de Áries vai precisar quando crescer?".

> *"Bem, eu diria que vai precisar de muita paciência e compreensão, pois eu me lembro de ter sido bem briguenta, mandona (meu*

apelido era 'Chefona') e teimosa – e se gritassem ou me mandassem ficar quieta, eu ficava mais teimosa ainda. Mas se me 'convencessem' ou falassem 'com jeitinho', aí a história mudava."

Mandy é professora aposentada e mora em Chicago, nos Estados Unidos:

"Quando criança, eu era bem temperamental, e minha mãe se desdobrou para me domar. Domem nosso temperamento, deem-nos responsabilidades e desafios, deixem-nos cuidar de alguma coisa. Confiem em nós".

Ela diz ainda que:

"Linda Goodman expõe isso muito bem em seu livro Love Signs*: 'Muito pouca gente sabe com que ardor homens e mulheres (e crianças) de Áries buscam a aceitação... Os Carneiros nem sempre são tão durões quanto parecem... As pessoas de Áries não têm a intenção de pisar nos sentimentos delicados de ninguém, (mas) podem ser egoístas e desatentas sem perceber... O Carneiro típico nunca magoaria ninguém de propósito... As pessoas de Áries não têm muita consciência dessa fraqueza específica nelas próprias (a sensibilidade à dor) – que conflita com sua autoimagem de força'".*

E, como Linda Goodman aconselha sabiamente em seu livro *Sun Signs*:

"Pais e professores nunca devem se esquecer de que as crianças de Áries brilham quando elogiadas e se esforçam diligentemente para

se superar, mas explodem como bombinhas quando atacadas e perdem todo o estímulo para tentar".

Por isso, elogie as realizações de seus filhos de Áries, ignore suas derrotas e, se quiser realmente estimulá-los, diga-lhes que o que fizeram é bom e você os ama do jeito que são, mas talvez isso tenha acontecido porque eles não são tão espertos ou atentos quanto a Júlia ou o João... e eles terão alguém para servir de base de comparação e com quem competir e vão aceitar esse desafio.

Temos aqui Karen, que já conhecemos antes, cujo pai é de Áries. Ela nos conta como é ser uma filha ariana:

"Desde que me tornei mãe, tenho de admitir que, até certo ponto, sou filha do meu pai. Posso ser crítica. Para mim, elogiar meus filhos não é algo espontâneo. Tenho de me lembrar de fazer isso, porque sei o que é ter baixa autoestima e não quero que eles se sintam assim. Até agora, eles são o contrário do que eu era na infância, e devo dizer que eles têm confiança até demais (se é que isso é possível), mas sinto-me orgulhosa porque devo estar fazendo tudo direito! Bem, em suma, não critique seu filho ariano, pois, como sabemos, os arianos internalizam tudo, e isso pode afetar nosso futuro".

Elaine fala das necessidades da criança de Áries:

"Amor e bondade. Interesse-se por aquilo que lhes interessa. Incentive alguma forma de arte. Reserve um tempo para perguntar se eles têm alguma preocupação e se querem falar sobre isso. Dê-lhes bastante espaço emocional. Atividades ao ar livre. Momentos de socialização com os colegas. Explique por que há coisas que são

simplesmente do jeito que são e mostre empatia. Muitos abraços e beijos. Nada de brincadeiras sem graça. Não ria deles. Incentive-os na educação. Diga-lhes sempre que são amados. Diga 'eu amo você' com frequência e em voz alta. Abraços. Deixe-os ter seus sentimentos e pensamentos sem tentar mudá-los com broncas. Cumprimente-os por serem espertos, mesmo que não compreenda como eles podem ser tão espertos".

Seu Chefe Ariano

Conheço muitos chefes de Áries. Homens e mulheres. Lembro-me especialmente de um deles. Nossa família o contratou para supervisionar um pacote de cuidados de saúde para minha irmã caçula, e marquei uma reunião para conhecê-lo.

Ele chegou na hora; bem-vestido, mas não formal demais. Expliquei o que estávamos querendo e ele pegou a calculadora, fez algumas contas, resumiu exatamente aquilo de que precisávamos e me garantiu que não teríamos de nos preocupar com nada, pois era algo "fácil de se fazer". Ele contratou uma equipe de cuidadores atenciosos, treinou-os exatamente conforme a nossa necessidade e tudo correu bem. Porém, depois de alguns meses, a saúde de minha irmã piorou e foi preciso ter gente com ela o tempo todo. Ainda não sei como ele conseguiu manter sua equipe trabalhando tanto, em dois lugares diferentes, com enfermeiras e médicos dizendo à equipe o que fazer. Ninguém se desentendeu. Todos trabalharam juntos e, de algum modo, o Sr. Áries manteve a lista atualizada, a equipe paga e todos trabalhando direito.

Nada o perturbou.

Nem mesmo quando um membro da equipe adoeceu, outra engravidou, outro desistiu e outro ficou preso na neve. Tivemos diversos "incidentes" e "reuniões de salvaguarda" com os vereadores, conflitos com outras equipes de cuidados que também estavam ajudando e, nos bastidores, ele atendia ao telefone na mesma hora ou enviava mensagens de texto diárias mantendo todos trabalhando para que minha irmã recebesse um bom atendimento.

Ele chegou a passar três dias no hospital por causa de uma pneumonia e não aceitava o fato de que eventualmente precisaria reduzir seu ritmo. Isso só serviu para incentivá-lo ainda mais a manter tudo no rumo. Não tenho como elogiá-lo mais. Ele assumiu uma tarefa que um gerente mediano, a) não entenderia, e b) largaria como se fosse uma brasa quente quando as coisas começassem a dar errado. Este se manteve firme e engatou a quinta marcha para manter a operação em funcionamento.

Nem é preciso dizer que eu agradeci sempre que merecido. Mostrei os pontos que precisariam de ajustes. Espero que ele tenha se sentido apreciado. Com certeza, ele *teve* nossa apreciação – minha, dos cuidadores e de nossa família. A ponto de, quando tivemos de dispensar a equipe porque mandamos minha irmã para uma casa de repouso , uma das cuidadoras ficar muito triste porque nunca tinha se envolvido tanto num caso como naquele, graças ao gerente.

Ele tratava a todos exatamente como gostaria de ser tratado: como profissionais talentosos.

Vejamos o que Sandy nos diz sobre uma mulher de negócios que ela conhece:

"Uma antiga colega minha é de Áries, e ela é simplesmente uma mulher de negócios incrível. Ela consegue vender molho tabasco para uma pimenta malagueta – é absolutamente espantosa. Depois de uma carreira estelar como relações públicas, ela vende sua linha de joias na rede HSN. Sempre tive grande admiração por ela, e, francamente, sua energia ariana é irresistível".

Sua Namorada Ariana

A melhor maneira de saber como namorar pessoas de determinado signo é ler o que escrevem nos sites de namoro. A maioria das pessoas tem habilidade para escrever a seu próprio respeito, o que nos dá uma visão de seus gostos e suas aversões.

Eis uma jovem chamada Charlotte, que está procurando o seu amor:

"Lembrei-me de quando preparei meu currículo e tive de resistir à tentação de escrever 'Sou uma pessoa esforçada com excelente atenção aos detalhes, boa comunicação e bom trato interpessoal.

Adoro ficar com amigos e familiares, jantar fora, assistir a filmes, sair para caminhadas e aproveitar ao máximo o fato de morar em Londres. Gosto de viajar pelo mundo e há muitos lugares que gostaria de visitar. Gosto de correr no parque Hampstead Heath quando o clima permite. Adoro passar fins de semana prolongados no interior ou em países mais ensolarados.

Um de meus passatempos é a fotografia, e por isso sempre levo minha câmera e tiro muitas fotos. Algumas ficam boas, outras nem tanto. Gosto de ir a galerias e a exposições de arte, inspiro-me com elas.

Gosto de comer fora e experimentar restaurantes diferentes, e passei parte do verão frequentando os melhores restaurantes e bares de Londres. Gosto de ir a shows *– fui ao* show *do Bruce Springsteen neste verão... É meu herói!*

Gosto de ser desafiada e de experimentar aventuras diferentes, excitantes".

Quem eu estou procurando:

"Gostaria de conhecer alguém divertido e que goste de fazer coisas novas, que não se leve a sério demais e consiga me fazer rir".

Ao contrário dos outros signos do Zodíaco, para a pessoa de Áries não importa qual é o seu signo, desde que se interesse por você. Não dá para calcular a quantidade de pessoas que conheço e que namoram arianas (e arianos) sem que seus signos combinem muito bem. Se o seu signo é de Água, talvez uma namorada ariana seja rápida demais, mas ela não vai se preocupar nem um pouco com isso. Se ela o ama, ela o ama.

É isso.

Logo, para namorar uma ariana com sucesso, basta ser você mesmo. Não finja ser uma pessoa diferente daquilo que você é. Se você não tem um tostão e mora num casebre, também não vai fazer diferença. Não é possível subornar e nem comprar o seu amor. Basta ser quem você é e ela vai amá-lo, com verrugas e tudo.

E se ela disser que ama você, aceite esse fato com graça, pois estará lhe dizendo a verdade. É pouco provável que uma ariana ame alguém por qualquer motivo que não para ter a sua companhia.

Entretanto o que você não deve fazer é despejar água fria em suas ideias/seus *hobbies*/seus pontos de vista. Mantenha a sua opinião para si mesmo. Não lhe diga para perder peso, usar outra roupa, ser mais ou menos do que ela é, ou você verá apenas poeira no local onde antes ela estava em pé.

Se você mostrar uma postura positiva diante da vida, souber aproveitar os prazeres simples que a vida traz e aceitá-la da maneira como é, terá o seu amor para sempre.

Seu Namorado Ariano

Eis um conselho válido de Louise, que conhece um pouco os homens de Áries:

"Uma amiga minha que ficou envolvida com um ariano durante mais de quarenta anos disse que uma discussão acalorada pode ser equivalente às preliminares para eles. Como numa dessas cenas nos velhos filmes em preto e branco em que a mulher diz ao sujeito o que ela pensa sobre ele, ela está reclamando dele e súbita e inesperadamente ele a agarra e lhe dá um longo beijo apaixonado".

Lara, uma escritora aquariana, namorou dois arianos:

"Conheci o primeiro numa festa e flertamos abertamente. Ele quis me ver logo e apareceu algumas vezes na minha casa. Foi muito persistente, mas eu queria saber mais sobre ele. Achei-o muito atraente e charmoso. Ele era amigo de alguns amigos meus e eles disseram que ele era um sujeito adorável. Ficamos juntos cerca de um ano e meio. Ele era mesmo adorável e generoso. Fazia qualquer coisa pelos amigos. Mas sua vida era um torvelinho permanente.

Ele se recusava a ter qualquer coisa permanente. Morou em três lugares diferentes enquanto nos relacionamos. Ele era motorista de caminhão, mas só fazia isso pelo dinheiro. Não gostava de ter nenhum 'rótulo'. Ele me deixava louca, pois detestava qualquer tipo de programação ou de agenda. Queria me ver sempre que quisesse. Mas sumia durante várias semanas. Embora fosse divertido, incomodava-se com o fato de não ter tanto dinheiro quanto seus amigos. Não tinha uma casa, um emprego decente etc. No final, me largou inesperadamente e nem ele soube dizer por quê. Creio que havia outra mulher na história. As mulheres o consideravam bastante atraente, não só por sua boa aparência, mas também pelo fato de ser emotivo e espontâneo".

Veja o que ela disse sobre o segundo relacionamento:

"Ele também quis ficar comigo rapidamente. Ele me pediu para ir morar com ele após seis meses. Eu disse que não, era cedo. Ele disse que estava feliz por ter 'finalmente' encontrado uma mulher 'inteligente e independente', pois todas as outras namoradas 'dependeram' dele. Ele gostava do fato de eu ter um emprego e de ser escritora. Sua vida amorosa tinha sido complicada. Aparentemente, ele tinha escolhido mulheres tempestuosas. Tinha duas ex-esposas e um filho com a namorada mais recente, além de dois filhos com outras mulheres. Mantinha uma batalha permanente com a mãe do filho mais novo por causa do direito de visita...

No começo, nosso relacionamento foi dinâmico e fazíamos muitas coisas 'diferentes' juntos. No entanto isso acabou mudando.

Ele também detestava qualquer tipo de planejamento, e era um esforço para sairmos no fim de semana ou para fazermos alguma coisa diferente no sábado além de irmos ao supermercado, assistirmos ao rúgbi ou visitarmos a mãe dele. Apesar disso, quando realmente nos acertamos, demo-nos bem. Tivemos nossas melhores conversas enquanto estávamos no carro!!! Ele dirigia como um louco.

Na verdade, ele não gostava do fato de eu ser igual a ele em termos intelectuais e que eu ganhasse tanto quanto ele, ou talvez mais. Acho que ele queria ser um herói, uma pessoa admirada. Ele queria ter mais status do que tinha, mas detestava seu trabalho e seu chefe o maltratava. Ele se via como um homem de ação, mas não ia à parte alguma e nem fazia muita coisa. Tinha uma moto no jardim, mas nem a consertava nem se desfazia dela. Ela só ficava enferrujando. Ele era apaixonado por tai chi *e pela saúde, mas fumava como uma chaminé.*

Era cheio de contradições.

Ele rompeu nosso relacionamento de forma súbita. Foi depois da depressão que teve com a saída do emprego. Basicamente, eu o sustentei nessa época. Ele conseguiu um novo emprego e reconquistou a confiança, e foi isso – eu virei coisa do passado. Ele admitiu que se sentia 'sob a minha sombra', pois eu era razoavelmente conhecida como escritora. Também admitiu que tinha medo de ficar 'velho e entediante' como seus pais. Disse que queria uma parceira que 'ligasse para ele' mais do que eu, e que se sentia abandonado quando eu viajava para lançar meus livros. Onde estava a vontade de ter uma mulher inteligente e independente? (suspiro)".

O cavalheiro a seguir, chamado Sam, fala-nos um pouco a seu respeito e do que ele precisa num relacionamento:

"Acredito que minha vida é interessante – adoro música, toco contrabaixo numa banda e tento ouvir música ao vivo sempre que posso. Jogo tênis e vou à academia com certa regularidade.

Estou no quarto ano de um curso de Inglês na Open University – ah, e fundei minha própria empresa há alguns anos, o que ocupa boa parte do meu tempo... Dá para perceber que ando ocupado? :-) Espero poder encontrar tempo para uma pessoa nova na minha vida, especialmente se ela for perspicaz, inteligente, atraente e sincera... Alguma oferta?

Tenho um senso de humor cruel, meio irônico, que algumas ex-namoradas dizem que eu uso como mecanismo de defesa. Sou uma pessoa de boa moral e aprecio a integridade. Preocupa-me o fato de estar parecendo mais sério à medida que fico mais velho – isso é ruim?

Algumas coisas de que gosto:

- *Avaaz – um ótimo website – lançado em 2007 com uma missão simples e democrática: organizar cidadãos de todas as nações para cobrir a lacuna entre o mundo que temos e o mundo que a maioria das pessoas deseja. Dê uma olhada.*
- Seinfeld
- *Livros – acho que sou viciado em livrarias!*
- *The Smiths*
- *O teatro, especialmente Shakespeare em Stratford!*
- *Tocar guitarra*
- *Conversar sobre temas mundiais, religião, política e papos idiotas que não vão à lugar nenhum, mas que por algum motivo são divertidos*
- *White Lies – vi-os recentemente em Bristol e devo dizer que são brilhantes!*
- *Have I Got News For You*

- *Viajar – embora eu ache que não vou fazê-lo por algum tempo :o(*
- *Listas – mas sou homem, por isso creio que posso, haha*
- *Hummm... vou acrescentar outras coisas, preciso pensar um pouco...*

Quem estou procurando:

Obviamente, atração física e química são importantes – sinto-me atraído por pessoas sagazes, inteligentes, íntegras e que se interessam pelo mundo".

Perceba como um dos seus interesses foi o website de caridade que "une pessoas do mundo todo para trabalharem pelo bem comum". É uma coisa bem ariana. Eles sempre procuram ajudar quem precisa.

Perceba ainda que seu "Quem estou procurando" tem menos de duas frases. Na verdade, não importa como você é, desde que deixe-o ser do jeito que ele é e vocês sintam uma atração mútua – e ele vai saber na mesma hora se é você ou não.

Garota! Não desperdice seu amor com um ariano que não deseja você. Se a centelha inicial não estiver presente, ele não conseguirá criá-la mais tarde.

Não "espere" que ele se apaixone. Se ele não se encantou nos primeiros segundos depois de ter conhecido você, isso não vai acontecer. Às vezes, penso que o namoro relâmpago deve ter sido "inventado" por um ariano. Experimente, se você for de Áries; talvez tenha sorte!

O que Fazer quando seu Relacionamento Ariano Termina

Signos de Fogo

Se o seu signo é de Fogo – nosso amigo Áries, Leão ou Sagitário –, você vai precisar de alguma coisa ativa e excitante para ajudar a superar o fim do relacionamento.

Além disso, você vai precisar usar o Elemento Fogo no processo de cura.

Compre uma bela vela noturna, acenda-a e recite: "Eu... (seu nome) deixo você (nome da pessoa de Áries) ir, em liberdade e com amor, para que eu fique livre para atrair meu verdadeiro amor espiritual".

Deixe a vela noturna num local seguro para queimar completamente. Calcule uma hora, pelo menos. Enquanto isso, reúna quaisquer objetos pertencentes a seu (agora) ex e mande-os de volta para seu ariano. É educado telefonar antes e avisá-lo de que você está indo.

Se tiver fotos dos dois juntos, recordações ou até presentes, não se apresse em destruí-los como alguns signos de Fogo costumam fazer. Melhor deixá-los numa caixa no porão ou na garagem até você se sentir melhor.

Daqui a alguns meses, vasculhe a caixa, mantenha as coisas de que gosta e doe aquilo de que não gosta.

Signos de Terra

Se o seu signo é de Terra – Touro, Virgem ou Capricórnio –, você vai se sentir menos propenso a fazer alguma coisa drástica ou extrema. Talvez você demore um pouco para recuperar o equilíbrio, por isso dê-se algumas semanas e no máximo três meses de luto.

Você vai usar o Elemento Terra para ajudar em sua cura, com o uso de cristais.

Os melhores cristais são aqueles associados ao seu signo solar e também à proteção.

Touro = Esmeralda
Virgem = Ágata
Capricórnio = Ônix

Lave o cristal em água corrente. Embrulhe-o num lenço de seda e vá caminhar pelo campo. Quando encontrar um lugar apropriado, ou seja, silencioso e no qual você não será incomodado, cave um pequeno buraco e enterre o cristal.

Passe alguns minutos pensando no seu relacionamento, nos bons e maus momentos. Perdoe-se por quaisquer erros que possa ter cometido.

Imagine uma bela planta crescendo onde você enterrou o cristal e que a planta floresce e cresce com vigor.

Ela representa seu novo amor, que estará com você quando chegar o momento apropriado.

Signos de Ar

Se o seu signo for de Ar (Gêmeos, Libra ou Aquário), talvez você queira conversar sobre o que aconteceu antes de terminar o relacionamento. Signos de Ar precisam de razões e respostas e podem desperdiçar uma preciosa energia vital procurando essas respostas. Talvez seja preciso se encontrar com seu ariano para lhe dizer exatamente o que pensa ou pensou sobre suas opiniões e suas ideias. Você também pode sentir a tentação de dizer o que pensa sobre ele agora, coisa que *não* recomendo.

É bem melhor expor seus pensamentos em forma tangível, escrevendo uma carta para seu ex-ariano.

Não é uma carta para se enviar pelo correio, mas ao escrevê-la você precisa imprimir a mesma energia que colocaria *se fosse* mesmo enviá-la.

Escreva-lhe nestes termos: "Caro ariano, espero que você esteja feliz agora em sua vida nova, mas eis algumas coisas que eu queria que você soubesse e entendesse antes de eu dizer adeus".

Então, relacione todos os hábitos incômodos a que seu (ex) ariano se dedicava. A lista pode ter a extensão que você quiser. Relacione quantos detalhes desejar, incluindo coisas como as tantas vezes em que ele não respeitou suas posições ou tratou mal seus amigos, ou não retornou seus telefonemas.

Escreva até não conseguir mais e encerre sua carta com algo similar ao seguinte: "Embora não fôssemos feitos um para o outro, e eu tenha sofrido por isso, desejo-lhe felicidade em seu caminho". Ou algum outro comentário positivo.

Depois, rasgue a carta em pedaços bem pequenos e ponha-os num pequeno frasco. Vamos usar o Elemento Ar para corrigir a situação.

Vá até um lugar ventoso e alto, como o topo de uma colina, e, quando achar que deve, abra o frasco e espalhe alguns pedaços aleatórios da carta ao vento. Não use a carta toda ou você corre o risco de levar uma multa por sujar o lugar, só o suficiente para ser significativo.

Observe esses pedacinhos de papel voando ao longe e imagine-os conectando-se com os espíritos da natureza.

Agora, seu relacionamento terminou.

Signos de Água

Se o seu signo for de Água – Câncer, Escorpião ou Peixes –, pode ser mais difícil recuperar-se rapidamente desse relacionamento. Talvez você se flagre chorando em momentos inoportunos, ou ao ouvir a música "de vocês" no rádio, ou quando vir outros casais felizes na companhia um do outro. Você pode acordar à noite achando que arruinou sua vida e que o ex-ariano está se divertindo. Como você já deve ter percebido, é pouco provável que isso esteja acontecendo. Seu ex deve estar tão abalado quanto você.

Portanto sua cura emocional precisa incorporar o Elemento Água.

Como você é capaz de chorar pelo mundo, da próxima vez que estiver se banhando em lágrimas, pegue uma gotinha e coloque-a num pequeno copo. Mantenha um por perto para essa finalidade. Decore-o se quiser. Flores, estrelas ou coisinhas brilhantes.

Preencha o copo com água e ponha-o sobre a mesa.

Depois recite o seguinte:

> "Este adorável relacionamento com você, ... (nome do ariano), terminou.
>
> Estendi-me através do tempo e do espaço para chegar até você.
>
> Minhas lágrimas vão lavar a dor que sinto.
>
> Tiro você de meu coração, de minha mente e de minha alma.
>
> Partamos em paz".

Depois, beba lentamente a água. Imagine a dor dissolvendo-se e livrando você de toda a ansiedade e de toda a tristeza.

Passe as próximas semanas tratando-se bem. Se precisar conversar, procure alguém de confiança e abra-se com essa pessoa. Tenha lenços de papel à mão.

Seu Amigo Ariano

Tive muitos amigos de Áries ao longo dos anos, mas, como o meu signo é de Água, eles acabam sumindo com a distância. Uma amiga tem estado na minha vida há um bom tempo, e acho que isso se deve a diversas compatibilidades planetárias, além do fato de não nos vermos muito. Não me esgoto por causa da velocidade dela e ela não esmorece por causa da minha natureza aquática.

Alexandra é geminiana e fala sobre sua amiga ariana.

> *"Duas coisas me vêm à mente por conta de minha experiência com Áries.*
>
> *Primeira – são teimosos à beça. É impossível discutir com eles; se enfiam alguma coisa na cabeça, não mudam de ideia. Mas você pode chegar a um ponto em que concordam em discordar e eles respeitam a opinião firme dos outros.*
>
> *Segunda – são grandes amigos, muito confiáveis. E geralmente são daqueles que você pode chamar no meio da noite e vão aparecer, não importa a distância a que estejam, se você precisar mesmo deles."*

Não tenho muita certeza sobre a primeira observação; creio que depende da definição de teimoso. Não fico tentando mudar a opinião das pessoas sobre alguma coisa. É muito mais fácil aceitar.

Todavia concordo definitivamente com o segundo comentário de Alexandra. Segundo a minha experiência, se explodisse uma guerra mundial, minha casa fosse bombardeada, meu carro fosse furtado ou eu fosse assaltada, com certeza, eu gostaria de ter uma amiga ariana por perto para me ajudar. Os arianos são brilhantes nas crises. Em poucos segundos, deduzem o que é importante e o que não é. Não ficam enrolando e vão direto a uma solução, ou, no mínimo, aos "próximos passos".

Se acontecesse alguma coisa drástica, eu gostaria que um ariano fosse o primeiro a chegar à cena.

Para se entender bem com seu ariano, lembre-se de que esse talento para ajudar em crises é, definitivamente, uma rua de duas mãos. Se você não responder tão prontamente quanto *o ariano* quando *ele* precisar de você, ele não vai reclamar – você simplesmente vai sair da lista de cartões de Natal dele e provavelmente nunca mais tornará a vê-lo.

Sua Mãe Ariana

Conheço várias mães arianas. De todas as formas e de todos os tamanhos. E, em função do meu trabalho, encontro muitas no meu consultório. Certa vez, analisei os signos dos meus clientes, e, para minha surpresa, naquele ano, Áries ficou no topo da lista das pessoas que precisaram da minha ajuda. Bem, como Áries é um signo tão autossuficiente, você pode se perguntar por que Áries está no alto da lista de pessoas que precisam da minha ajuda. Vou explicar.

Os arianos adoram "o especialista". Se você for especialista em alguma coisa, os arianos vão consultá-lo. Mas você precisa ser "o" especialista naquilo que faz. Se o ariano não consegue entender uma coisa, ou precisa de um diagnóstico ou conselho, ou de algo que ele não tem qualificações para fazer, ele vai procurar a pessoa mais experiente nessa área.

Obviamente, na minha linha de trabalho, minha experiência é "entender o futuro", e, como Áries é um signo Cardinal e bastante voltado para o futuro, o fato de trabalhar nesse campo torna-me mais capacitada do que ele. (A menos, é claro, que ele também seja astrólogo.)

As mães de Áries me consultam quando não conseguem entender ou imaginar o que pode resultar de uma situação ou quando vêm enfrentando uma situação negativa durante certo tempo. Elas levam seu papel a sério e se esforçam para "serem" mães perfeitas. Como sabemos, a perfeição e a maternidade não andam de mãos dadas; por isso, dê uma folga à sua mãe ariana se ela tem procurado ser tudo para todo mundo.

> *"Sou mãe e sou de Áries, e digo todos os dias à minha filha que eu a amo, e a abraço e a beijo muito. Mas não fico muito preocupada quando ela chora – a menos que tenha se machucado. É que não quero que minha filha adquira maus hábitos, como manipular os outros para conseguir o que quer (ela é de Escorpião, e pode muito bem acabar fazendo isso, se eu não a orientar). Quero que ela se torne uma mulher forte, e por isso tento não dar muito colo. Sinto que é importante mostrar a seus filhos que você os ama, mas é preciso que tenham limites e aprendam a se controlar."*

Sandy, de Gêmeos, fala de sua mãe, que tem não apenas o Sol em Áries, como Marte, o que a torna mais propensa a lidar com as coisas de maneira ativa:

"Minha mãe tem esse aspectos astrológicos. Ela tem mesmo uns acessos ocasionais".

Descobri um website interessante chamado Aries Mommy [Mamãe Ariana]:

"Bem-vindos ao Aries Mommy! Sirva-se de uma bebida, puxe uma cadeira e fique conosco. Você prefere cozinhar, bordar, ler ou malhar? Ou será que só gosta de saber que não é a única mulher que se pergunta se um dia terá uma casa impecável, filhos comportados e uma manicure do outro mundo (tudo ao mesmo tempo)?

Sou a orgulhosa esposa de um membro dos Fuzileiros Navais dos Estados Unidos, mãe de quatro filhos lindos e uma mulher que decidiu que é hora de parar de filtrar suas opiniões. Acontece que a vida é muito mais divertida quando o filtro está desligado! Quem sabe quanta coisa interessante meu cérebro filtrou! Se você gosta que lhe digam como são as coisas sem rodeios, chegou ao lugar certo.

O Sargento Sexy e eu estamos casados há quase onze anos e juntos há quase quinze. Ao longo dos anos, aprendemos diversas lições com a vida. Atualmente, os Fuzileiros Navais nos mandaram para Nova York. Nossos filhos consomem a maior parte do meu tempo e de minhas energias. Os pobrezinhos estão aprendendo a cozinhar, a limpar e que devem ser responsáveis por si mesmos. Nem vou dizer como ficam envergonhados quando mostramos a eles que, mesmo sendo adultos, nós precisamos nos divertir. Como família, gostamos de visitar lugares diferentes, de provar novos pratos e de discutir as coisas à nossa volta. Quando não estou cozinhando ou lavando, gosto de ler e de malhar. Mas não ao mesmo tempo; não tenho coordenação suficiente para ler um romance e andar na esteira. No verão de 2011, eu fui uma 'Mãe Mãetivação'. Essa experiência me ajudou a criar uma visão de vida mais saudável e a me mostrar que devo cuidar de mim. Agora, a paixão pela aptidão física e pela alimentação saudável faz parte do dia a dia".

Gostei de algumas coisas: ela é casada com um fuzileiro naval, organizou um evento de "Mãetivação" para motivar outras mães a malhar e a serem mais saudáveis, e disse "Se você gosta que lhe digam...", o que é típico de Áries.

Mas nem todos gostam de ter uma mãe de Áries. Eis o que diz Chantelle, uma jovem capricorniana:

"Minha mãe ariana está me deixando louca. Por que ela é tão rude e autocentrada?

Ah, por falar nisso, sou de Capricórnio. Tenho me sentido muito deprimida ultimamente. Fui demitida, estou com um vírus e perdi minhas duas últimas amigas porque elas me usaram. O que sobrou foi meu namorado e os amigos dele, aos quais sou muito grata. Às vezes, fico zangada com a minha mãe porque ela não me consola. Às vezes, não digo nada porque não estou pronta para conversar com ela sobre coisa alguma. Mas como eu fico com cara amarrada, ela acha que estou provocando e aí a coisa começa! Ela fica de fofocas com minha irmã (de Gêmeos) e até com minha sobrinha (de Câncer), que tem 9 anos! Como eu estou sempre de cara amarrada, estou provocando, e blá, blá, blá...

Eu me abri tantas vezes com minha mãe, disse como me sinto, e às vezes ela confunde minha tristeza com loucura e me magoa mais ainda. Estou cansada de tentar fazê-la me entender. É muito difícil, porque minha irmã e minha mãe parecem se entender bem. É como se fossem melhores amigas. Acho que nenhuma delas me entende de verdade. Por isso, quando estou deprimida, ela acaba gritando comigo e piorando as coisas. Juro, um dia vou me enforcar; essa mulher me deixa louca". :('

Essa questão foi apresentada num website, e não demorou (!) para que uma mãe ariana apresentasse algumas sugestões:

"Sou ariana – antes de tudo, compre um livro de Astrologia para a sua mãe e FAÇA com que ela leia sobre seu signo! Mais importante – FAÇA-A ler sobre você!

Estudar Astrologia salvou a minha vida. Eu achava que era louca até me conhecer melhor!

Não é possível haver um bom relacionamento sem compreender que somos pessoas diferentes e que devemos ser aceitas EXATAMENTE como somos!

A impressão que tenho é que você precisa trabalhar melhor a questão da aceitação. Você quer que ela a aceite tal como você é; mas está disposta a fazer o mesmo por ela?

SAIBA QUE VOCÊS SÃO PESSOAS BEM DIFERENTES. POR ISSO, NUNCA DEIXE DE SER VOCÊ MESMA, NÃO IMPORTA O QUE LHE DIGAM!

Sei que é sua mãe, mas ela é humana. A mãe dela pode não ter sido legal, vai saber. Meus pais são assim, e sempre achei que eu é que tinha de me esforçar para me aproximar deles – caramba, ainda faço isso, haha. São de Peixes e de Câncer. COMPLETAMENTE DIFERENTES de mim, que sou de Áries.

O que posso dizer? Os relacionamentos dão trabalho para todos os envolvidos, e quanto mais cedo você aprender isso, melhor!

Eu tentaria conversar com sua mãe, uma CONVERSA HONESTA, DO FUNDO DO CORAÇÃO, PARA DIZER COMO ELA A FAZ SE SENTIR. TENHO CERTEZA DE QUE ELA VAI PARAR IMEDIATAMENTE. PROVAVELMENTE, ELA NÃO TEM IDEIA DE QUE A ESTÁ MAGOANDO TANTO!".

Como dá para perceber pela resposta acima, a mãe de Áries sabe que não pode mudar ninguém, que ela é quem ela é, e que para Chantelle se entender melhor com sua mãe de Áries terá de concordar... em discordar, e ser honesta com seus sentimentos.

Além disso, não adianta tentar dar dicas sutis para uma mãe ariana. Isso não funciona.

Também não adianta distorcer a verdade sobre seus sentimentos. Se você está se sentindo mal, diga!

Entre todas as mães do Zodíaco, a de Áries é a que mais vai defender seus filhos.

Linda Goodman, autora de *best-sellers* como *Sun Signs* e *Linda Goodman's Love Signs*, era ariana com a Lua em Escorpião. Sua filha Sarah era uma atriz premiada que morreu em circunstâncias suspeitas em dezembro de 1973. Linda nunca aceitou a morte da filha, e em fevereiro de 1980 ofereceu uma recompensa de 50 mil dólares por informações "sobre o que teria acontecido" com Sarah.[11]

Linda estava convencida de que Sarah havia sido vítima de um caso de homicídio por confusão de identidade. O caso nunca foi solucionado, e Linda morreu sem saber o que aconteceu de fato com a filha.

Ela escreveu sobre o que sentiu num texto de ficção que incluiu em seu livro *Love Signs*:[12]

> Vejamos novamente a mãe de Sally, uma mulher com olhos muito tristes. Agora a vemos mais de perto e recordamos a alegria dos velhos tempos, que então se foram só porque ela perdeu sua filhinha... Veja-a em sua poltrona, onde ela adormeceu. O canto de sua boca, para o qual olhamos primeiro, o canto que Sally sempre beijava, está quase ressequido.

A mãe de Áries luta até o seu último sopro de vida para proteger seus filhos. Mesmo que ela reclame deles de vez em quando, ou seja um pouco brusca, ou lhes dê puxões de orelha quando se comportam mal, por trás disso há alguém que os protege e os salva de qualquer mal que venha de fora.

Tenho uma amiga geminiana, muito querida, cuja mãe era de Áries, forte e determinada. Minha amiga tem Ascendente em Libra e nunca conseguiu entender por que sua mãe era tão direta e incisiva. Isso a magoava muito.

Só quando sua mãe morreu é que minha amiga percebeu como ela apoiava seu pai, pois, após sua morte, seu pai desmoronou. Sua mãe fazia tudo por seu pai, e agora ele não conseguia suportar a solidão ou a falta de seu esteio ariano.

Temos aqui um jovem capricorniano chamado Mario que fala de sua mãe ariana. Seus pais se divorciaram quando ele ainda era muito jovem. Seu pai é de Peixes:

> *"É interessante. Ela sempre quis cuidar de tudo, e ela teria conseguido fazê-lo caso tivéssemos mais sorte. Ela cuidava de três casas*

e do seu trabalho. Fico surpreso ao imaginar como conseguia fazer isso. Ou como ela conseguia esconder todas as coisas que a incomodavam. Ela ainda se sente – e aparenta ser – mais jovem do que é. Mais capaz do que muita gente que conheço. Sempre foi realista; ela abriu mão de muitos sonhos para cuidar de todos nós. Eu a admiro muito, de verdade".

Sua mãe ariana vai se desdobrar não apenas para ser boa mãe, mas também para cuidar de sua carreira e dos parentes mais velhos.

Seu Pai Ariano

Ao longo dos anos, conheci diversos pais de Áries na minha prática profissional. Eles não admitem que gostam de ser pais, mas no íntimo adoram as emoções que os filhos lhes proporcionam.

A jornada nem sempre é fácil.

O candidato presidencial Al Gore e sua esposa Tipper estavam atravessando a rua em Baltimore em abril de 1989 quando Albert, seu filho de 6 anos, soltou-se subitamente da mão do pai e foi atropelado por um carro. Seu filho mais jovem foi lançado a dez metros e deslizou seis metros pelo asfalto.

"Corri até ele, segurei-o e chamei-o pelo nome, mas ele estava imóvel, flácido e parado, sem pulso e sem respirar", escreveu Al Gore. "Seus olhos estavam abertos com o olhar fixo no vazio da morte, e rezamos, nós dois, ali na sarjeta, apenas com minha voz." Casualmente, havia duas enfermeiras perto dali, e elas cuidaram do garoto até a ambulância chegar. No mês seguinte, Al e Tipper permaneceram ao lado do filho [no hospital]. "Durante vários meses após o acidente", escreveu Gore, "nossas vidas foram consumidas pelo esforço para restaurar seu corpo e seu espírito... A catarse pela qual passei, que começou em 3 de abril de 1989, foi um período em que essas lições calaram fundo em mim, porque subitamente eu me abri para elas."

Ele se tornou outro tipo de marido, outro tipo de pai – e, conforme afirmou, outro tipo de político.

Quando perguntam a Al como ele fez isso, ele diz "Como você não vê isso? É uma coisa abrangente".[13]

Foi preciso passar pela experiência de quase morte de seu filho caçula para que esse pai ariano percebesse como a vida é curta e quão preciosa é a vida de seus filhos.

Já conhecemos Karen, massoterapeuta e mãe solteira de duas meninas. Ela é de Áries e seu pai também. Ela conta sobre o relacionamento difícil entre ambos:

> *"Meu pai foi muito crítico, mandão e bem negativo (meu pai é de Áries). O fato de ser crítico não foi bom para minha autoestima. Sempre fui daquelas que se sentavam no fundo da sala de aula. Nunca levantava a mão, mesmo se soubesse a resposta – eu duvidava de mim mesma. Tinha medo do meu pai e ficava desajeitada quando estava perto dele. Ficava tão nervosa, receosa de cometer erros perto dele, que acabava errando, e ele se referia a si mesmo como um ogro, mas dizendo que não era um ogro de verdade. Ele era muito contido. Só comíamos determinadas coisas em datas específicas, e, aos domingos, eu ganhava um folhado de maçã ou quatro tabletinhos de chocolate!*
>
> *Lembro que minha bela madrasta me disse que meu pai tinha muito orgulho de mim, e devo confessar que fiquei chocada. Passei 27 anos achando que eu o desapontara! Não sei o que é mais triste, eu pensar assim ou o fato de ele nunca ter dito isso pessoalmente.*

Faço questão de dizer às minhas filhas que eu as amo, todos os dias – ah, e não ligo se comem bolo, muito bolo, no domingo de manhã". ;)

O pai de Stephanie também é de Áries:

"Meu pai veio me visitar em Londres na semana passada – a primeira vez desde que me mudei – e ele foi muito amável, caloroso e afetuoso (totalmente Áries-de-bom-humor), devia estar num daqueles dias de Áries-se-entende-com-Áries.

Escrevi sobre algumas das tribulações e dos problemas pelos quais passei na juventude, mas creio que resolvemos essas questões, e ele não tinha mais a preocupação com dinheiro que tinha antes. Ele é encantador, e se percebe como conseguiria se livrar de qualquer situação difícil – foi essa alegria positiva e essa autoconfiança total que lhe permitiu ser (quase) capaz de ter cinco (não estou brincando) namoradas ao mesmo tempo com 18 anos. Eu lhe disse que uma pessoa que conheço comentou que ele era divertido, e ele respondeu: 'Ela tem razão, eu sou mesmo'".

Para se entender direito com seu pai de Áries, faça o mapa dele e descubra em que signo está a Lua, e acompanhe os momentos em que a Lua muda de signo. Isso pode ser encontrado no site astro.com.

Seja sincero com ele.

Se você não gostar das atitudes de seu pai em relação a você, diga-lhe, mas não espere que ele compreenda logo de cara. Por outro lado, não tenha medo dele. Isso só vai piorar as coisas. Se tiver de enfrentá-lo, faça-o – só uma vez –, e ele não vai mais lhe causar problemas.

Seus Irmãos Arianos

Manter um bom relacionamento com irmãos depende, em termos astrológicos, de seus elementos e signos. Se o seu signo for de Água ou de Terra, seu relacionamento pode ser um pouco mais complicado. Se as Luas forem harmoniosas, será melhor. Observe os mapas para esclarecer isso melhor.

A jovem a seguir não sabe por que se sente mais próxima de sua irmã de Áries do que de sua outra irmã, que é de Câncer. Nós sabemos – é que os dois Sóis em signos de Fogo são compatíveis:

> *"Tenho o Sol em Leão, a Lua em Áries e Ascendente em Virgem. Por que me sinto mais próxima de minha irmã de Áries do que de minha irmã de Câncer?*
>
> *Consigo conversar com minha irmã de Áries sobre coisas que nunca diria a mais ninguém e me sinto à vontade perto dela. Embora não seja muito emotiva, ela é atenciosa e me apoia sempre que me sinto mal. Visito-a no quarto dela pelo menos quatro ou cinco vezes por semana.*
>
> *Mas a minha irmã de Câncer... bem, raramente conversamos. Nunca a visito, nunca procuro seu apoio e não me sinto ligada a ela como me sinto com minha irmã de Áries. E não sei a razão!"*

Como dissemos antes, a energia de Fogo é rápida e a da Água é lenta, e por isso as irmãs de Câncer e de Leão operam em velocidades bem diferentes. Juntos, dois signos de Fogo criam uma combinação ágil, com respeito e estímulo mútuos. Signos de Fogo, mais do que quaisquer outros, gostam de estímulo e vão esmaecer e se retrair se as coisas não forem ativas e assertivas.

Para se entender melhor com seus irmãos de Áries, veja se ambos concordam sobre coisas como quem gosta do quê e quando. Deixe claros os seus sentimentos e não se envergonhe de dizer se não concordar com alguma coisa que eles estiverem fazendo.

Se o seu signo for de Água ou de Terra, não passem muito tempo juntos e procurem ter quartos separados, ou, no mínimo, *partes* separadas dentro do quarto.

Seja franco. Isso é sempre bom.

* * *

Espero que você tenha gostado de aprender um pouco sobre o primeiro signo solar do Zodíaco tanto quanto eu gostei de escrever sobre ele. Espero ainda que você tenha encontrado as respostas que procurava. Estou escrevendo este trecho no meu escritório em casa, em Bath, com a Lua passando por Áries, e estou lhe enviando pensamentos e energias de paz.

Se nos entendermos um pouco melhor, talvez o mundo seja um lugar mais pacífico para se viver.

♈ Notas ♈

1. Christopher McIntosh, *Man, Myth and Magic*; original: *Astrology, the Stars and Human Life: A Modern Guide*, Macdonald, Londres, 1970.
2. Paul Sutherland, *Essentials Astronomy: A Beginner's Guide to the Sky at Night*, Igloo Books, Sywell, 2007.
3. Clare Gibson, *The Astronomy Handbook: Guide to the Night Sky*, Parkham Books, Devon, 2009.
4. Colin Evans, *The New Waite's Compendium of Natal Astrology, with Ephemeris for 1880-1980 and Universal Table of Houses*, Routledge & Kegan Paul, Londres, 1967.
5. Marion D. March e Joan McEvers, *The Only Way to Learn Astrology, volume 1: Basic Principles*, ACS Publications, San Diego, CA, 1981. [*Curso Básico de Astrologia,* publicado em três volumes pela Editora Pensamento, São Paulo, 1988.]
6. Felix Lyle e Bryan Aspland, *The Instant Astrologer*, Judy Piatkus, Londres, 1998.
7. Caroline Casey, *Making the Gods Work for You: The Astrological Language of the Psyche*, Three Rivers Press, 1998.
8. Bil Tierney, *All Around the Zodiac: Exploring Astrology's Twelve Signs*, Llewellyn Publications, EUA, 2001.

9. Gina Lake, *Symbols of the Soul: Discovering Your Life Purpose and Karma through Astrology*, CreateSpace Independent Publishing Platform, 2011.
10. *Samuel Hahnemann, The Founder of Homoeopathic Medicine*, "a fascinante história da vida e da época deste médico extraordinário, que estabeleceu um sistema de cura que revolucionou a medicina e que continua a oferecer uma alternativa eficaz hoje em dia", Thorsons Publishers, Wellingborough, 1981.
11. A procura de Linda Goodman por sua filha Sarah, *The Victoria Advocate*, 27 de fevereiro de 1980. http://news.google.com/newspapers?id=piJIAAAAIBAJ&sjid= 84AMAAAAIBAJ&pg=7047,6190223&dq=linda+goodman&hl=em.
12. Linda Goodman, *Linda Goodman's Love Signs: A New Approach to the Human Heart*, Macmillan, Londres, 1979.
13. http://www.time.com/time/printout/0,8816,997752,00.html.

♈ *Informações adicionais* ♈

The Astrological Association – www.astrologicalassociation.com

The Bach Centre, The Dr. Edward Bach Centre, Mount Vernon, Bakers Lane, Brightwell-cum-Sotwell, Oxon, OX10 0PZ, GB – www.bachcentre.com

Site ético de namoro – www.natural-friends.com

Página de Mary – www.maryenglish.com

♈ *Informações sobre mapas astrais e dados de nascimento* ♈

(obtidos no astro-databank de www.astro.com
e no www.astrotheme.com)

Dados de Nascimento Imprecisos

David Blaine, 4 de abril de 1973, Brooklyn, NY, EUA, Sol em Áries, Lua em Áries ou em Touro.

Elton John, 25 de março de 1947, Pinner, Inglaterra, GB, Sol em Áries, Lua em Touro.

Kofi Annan, 8 de abril de 1938, Kumasi, Gana, Sol em Áries, Lua em Câncer ou Leão.

Iris Chang, 28 de março de 1968, Princeton, NJ, EUA, Sol em Áries, Lua em Áries.

Isambard Kingdom Brunel, 8 de abril de 1806, Portsmouth, Inglaterra, GB, 0h55, poss. Ascendente em Sagitário, Sol na 4ª casa, Lua em Sagitário.

Johannes Sebastian Bach, 31 de março de 1685, Eisenach, Alemanha, Sol em Áries, Lua em Aquário.

Emma Thompson, 15 de abril de 1959, Londres, Inglaterra, GB, hora de nascimento desconhecida, Sol em Áries, Lua em Câncer.

Abraham Maslow, 1º de abril de 1908, Brooklyn, NY, EUA, Sol em Áries, Lua em Áries.

Ascendente

Samantha Fox, 15 de abril de 1966, Londres, Inglaterra, GB, 6h00, Ascendente em Áries, Sol na 1ª casa, Lua em Aquário.

Ali MacGraw, 1º de abril de 1939, Nova York, NY, EUA, 7h25, Ascendente em Touro, Sol na 11ª casa, Lua em Virgem.

Dirk Bogarde, 28 de março de 1921, Twickenham, Inglaterra, GB, 8h30, Ascendente em Gêmeos, Sol na 10ª casa, Lua em Sagitário.

Emmylou Harris, 2 de abril de 1947, Birmingham, Alabama, EUA, 12h10, Ascendente em Câncer, Sol na 9ª casa, Lua em Virgem.

Marvin Gaye, 2 de abril de 1939, Washington DC, EUA, 11h59, Ascendente em Câncer, Sol na 9ª casa, Lua em Virgem.

Celine Dion, 30 de março de 1968, Charlemagne, Quebec, Canadá, 12h15, Ascendente em Leão, Sol na 9ª casa, Lua em Áries.

Warren Beatty, 30 de março de 1937, Richmond, VA, EUA, 17h30, Ascendente em Virgem, Sol na 7ª casa, Lua em Escorpião.

Dudley Moore, 19 de abril de 1935, Dagenham, Inglaterra, GB, Ascendente em Libra, Sol na 7ª casa, Lua em Escorpião.

Charles Chaplin, 16 de abril de 1889, Londres, Inglaterra, GB, 20h, Ascendente em Escorpião, Sol na 6ª casa, Lua em Escorpião.

Hans Christian Andersen, 2 de abril de 1805, Odense, Dinamarca, 1h, Ascendente em Sagitário, Sol na 4ª casa, Lua em Touro.

Francis Ford Coppola, 7 de abril de 1939, Detroit, MI, EUA, 1h38, Ascendente em Capricórnio, Sol na 4ª casa, Lua em Escorpião.

William Shatner, 22 de março de 1931, Montreal, Quebec, Canadá, 4h, Ascendente em Aquário, Sol na 2ª casa, Lua em Touro.

Herbie Hancock, 12 de abril de 1940, Chicago, IL, EUA, 3h30, Ascendente em Peixes, Sol na 2ª casa, Lua em Gêmeos.

Lua

Marlon Brando, 3 de abril de 1924, Omaha, NE, EUA, 23h, Ascendente em Sagitário, Sol na 5ª casa, Lua em Áries.

Spike Milligan, 16 de abril de 1918, Ahmadnagar, Índia, 2h30, Ascendente em Aquário, Sol na 3ª casa, Lua em Gêmeos.

Joseph Campbell, 26 de março de 1904, Nova York, NY, EUA, 19h25, Ascendente em Libra, Sol na 6ª casa, Lua em Leão.

Camille Paglia, 2 de abril de 1947, Endicott, Nova York, EUA, 18h57, Ascendente em Libra, Sol na 6ª casa, Lua em Virgem.

Maya Angelou, 4 de abril de 1928, Saint Louis, MO, EUA, 14h10, Ascendente em Leão, Sol na 8ª casa, Lua em Libra.

Harry Houdini, 5 de abril de 1874, Budapeste, Hungria, 4h, Ascendente em Aquário, Sol na 2ª casa, Lua em Escorpião.

Vincent Van Gogh, 30 de março de 1853, Zundert, Holanda, 11h, Ascendente em Câncer, Sol na 9ª casa, Lua em Sagitário.

Al Gore, 31 de março de 1948, Washington, 12h53, Ascendente em Leão, Sol na 9ª casa, Lua em Capricórnio.

Kareem Abdul-Jabbar (Ferdinand Lewis Alcindor), 16 de abril de 1947, Nova York, NY, EUA, 18h30, Ascendente em Libra, Sol na 7ª casa, Lua em Peixes.

Casas

Lucy Lawless, 29 de março de 1968, Auckland, Nova Zelândia, 6h25, Ascendente em Áries, Sol na 1ª casa, Lua em Áries.

Howard Sasportas, 12 de abril de 1948, Hartford, CT, EUA, 1h46, Ascendente em Capricórnio, Sol na 3ª casa, Lua em Touro.

Dane Rudhyar, 23 de março de 1895, Paris, França, 0h41, Ascendente em Sagitário, Sol na 4ª casa, Lua em Aquário.

William Wordsworth, 7 de abril de 1770, Cockermouth, Inglaterra, 22h, Ascendente em Escorpião, Sol na 5ª casa, Lua em Virgem.

Samuel Beckett, 13 de abril de 1906, Dublin, Irlanda, 20h14, Ascendente em Escorpião, Sol na 6ª casa, Lua em Sagitário.

Francis Ponge, 25 de março de 1899, Montpellier, França, 15h, Ascendente em Virgem, Sol na 8ª casa, Lua em Libra.

Peter Ustinov, 16 de abril de 1921, Londres, 11h, Ascendente em Câncer, Sol na 10ª casa, Lua em Leão.

Gregory Peck, 5 de abril de 1916, La Jola, CA, EUA, 8h, Ascendente em Gêmeos, Sol na 11ª casa, Lua em Touro.

Pearl Bailey, 29 de março de 1918, Newport News, VA, EUA, 7h, Ascendente em Touro, Sol na 12ª casa, Lua em Libra.

PRÓXIMOS LANÇAMENTOS

Para receber informações sobre os lançamentos da Editora Pensamento, basta cadastrar-se no site:
www.editorapensamento.com.br

Para enviar seus comentários sobre este livro,
visite o site
www.editorapensamento.com.br
ou mande um e-mail para
atendimento@editorapensamento.com.br